LUI

DU MÊME AUTEUR

Bouées de sauvetage, Leméac, 2010.
Eux, Leméac, 2014.
La danse des obèses, Leméac, 2014.
Camille, Leméac, 2015.
Nous, Leméac, 2016.
Henri & Cie. Tome 1. Opération Béatrice, FouLire, 2016.
Henri & Cie. Tome 2. Mission Bébitte, FouLire, 2017.

PATRICK ISABELLE

Lui

roman

LEMÉAC • JEUNESSE

Ouvrage édité sous la direction
de Maxime Mongeon

Photo en couverture (détail) : De Celiafoto/Shutterstock.com

Leméac Éditeur remercie le gouvernement du Canada, le Conseil des arts du Canada, la Société de développement des entreprises culturelles du Québec (SODEC) et le Programme de crédit d'impôt pour l'édition de livres du Québec (Gestion SODEC) du soutien accordé à son programme de publication.

Canadä

ISBN 978-2-7609-4230-1

© Copyright Ottawa 2017 par Leméac Éditeur
4609, rue D'Iberville, 1er étage, Montréal (Québec) H2H 2L9
Dépôt légal – Bibliothèque et Archives nationales du Québec, 2017

Imprimé au Canada

Le voir. Le mépriser. Le détester.
Souhaiter sa mort.

Il est déphasé.

Il n'y a pas d'autre mot.

Chaque minute l'enfonce dans un état près de la léthargie. Il essaie de chasser le vertige qui l'assaille, mais il en est incapable. Une sensation proche de celle qu'il ressent chaque fois qu'il surprend son reflet après s'être fait couper les cheveux, sans se reconnaître. Un moment d'apesanteur dérangeant. Unique.

La nuit s'achève.

Il regarde l'aurore envahir l'horizon avec un sentiment étrange au creux des reins. Il ne sait pas ce que sera sa vie à partir de cet instant. Comment se définir. Il a couru après son identité tellement longtemps qu'il ne saisit même plus pour quelle raison il court. Il s'est toujours contenté d'avancer. Maintenant qu'il a atteint la ligne d'arrivée, ça lui semble irréel. Dantesque.

Il voudrait dormir, mais il sait qu'il n'y arrivera pas. Il a passé la nuit à fixer le vide, à tenter de mettre de l'ordre dans le chaos de ses pensées, sans résultat. Chaque fois qu'il avait l'impression d'agripper la réalité, elle filait entre ses doigts.

Plus rien ne sera pareil, désormais. Il le sait.

Pendant des années, il n'avait fait qu'accuser les autres. C'était plus facile ainsi. Moins engageant. Or, pour la première fois depuis longtemps, il se retrouve seul face à lui-même. Il est dorénavant le seul responsable de ses actions. De sa vie. Seul sur le bord du précipice. Un ravin sombre dans lequel il doit s'élancer à l'aveugle. Un saut dans le vide vers sa métamorphose. Après deux ans de chrysalide. Il devient cet autre.

Lui. Celui qui n'appartient à personne. À nulle part. Un papillon errant qui avance contre le vent, qui ne se doute pas que le battement de ses ailes fait naître une tempête. Il sera l'écho de celui qu'il était. L'apparence de celui qu'il est devenu. Le visage de la honte, stigmatisé à jamais par la terreur. On le montrera du doigt en disant que c'est lui, l'innommable. On le reconnaîtra. On le détestera.

Il deviendra celui qu'ils ont toujours voulu.

Figé par la panique, il reste là, les yeux rivés sur le soleil qui se lève. Sur l'aube de sa nouvelle vie. Bientôt, ils viendront l'escorter jusqu'à la voiture qui l'emmènera en direction de l'inévitable. La destination ultime. Un avenir qu'il n'avait pas envisagé.

Ses paupières refusent de se fermer. Il est condamné à affronter la réalité dans tout ce qu'elle a de plus sombre. Il n'arrive plus à penser. Il pense trop. Ça l'engourdit. Ça le possède complètement. Il voudrait cracher la boule de rage qui tient son œsophage prisonnier, mais il a peur. Il craint qu'à partir du moment où il s'en sera débarrassé, ce qui lui restait d'humanité ne le quitte pour toujours.

Le monde autour de lui se brouille. Son corps l'abandonne. Il a beau lutter contre le sommeil, il se réveillera, d'une façon ou d'une autre, de l'autre côté des barreaux. C'est le chemin qu'il a choisi. Et même si rien en lui ne semble en phase avec le présent, il ne peut plus y résister. Il capitule.

Demain, il sera ailleurs. De l'autre côté. Déphasé.

Comment ose-t-il m'aborder?
Comment ose-t-il respirer le même air
que moi?
Son regard me transperce et l'espace
d'une seconde, j'ai de nouveau treize ans.
Je suis laid.

Lui.

À travers la fenêtre de la voiture, il voit la maison.

Mais ce n'est plus chez lui.

Il n'a pas été chez lui depuis trop longtemps déjà.

Ce sentiment vertigineux refuse de quitter son corps. Il est immobile. Incapable de bouger. De sortir de l'auto. Il ne fait que fixer la demeure avec l'étrange sensation d'être en train de rêver.

Il a cru qu'une fois sorti du centre, il arriverait à mieux respirer. Il a idéalisé le moment où il passerait la porte du centre pour ne plus jamais y retourner. À présent qu'il se trouve devant la maison familiale, il regrette ces envies. Il ne l'aurait avoué à personne, mais tout au fond, il a peur.

La chienne de sa vie.

Son père referme le coffre de la vieille voiture. Dans ses mains, le peu de bagages qu'il a emportés avec lui. Quelques cahiers, quelques romans, un lecteur MP3, un gilet noir, un pantalon noir, un kangourou noir, un t-shirt blanc usé, un neuf. Des papiers. Des tonnes de papiers. Rien d'autre. Il a laissé tout le reste. Il possède déjà trop de souvenirs de cet endroit. Il n'a pas besoin de plus. Il sait, de toute manière, qu'il ne pourra jamais oublier son séjour là-bas.

Son père n'a prononcé aucune parole durant le trajet et s'est contenté de sourire nerveusement. Lui, il sait bien que son retour n'est pas souhaitable ni voulu. Ses parents auraient sans doute préféré qu'il ne sorte qu'à sa majorité, pour ne pas le ramener à la maison. Quelle honte devaient-ils ressentir à son égard? Ce n'est pas l'idéal, il s'en doute bien. Mais il n'a pas d'autre choix. C'est la loi. C'est clair. C'est pour le mieux, avait dit son psychologue. *Il te reste beaucoup de plaies à refermer. Tes parents, c'est la première étape. Affronte tes démons, parce qu'eux, ils ne te laisseront pas tranquille.*

Il regarde son père qui attend, sur le trottoir, essayant de ne pas s'écrouler sous le poids du sac à dos. Il continue de sourire bêtement, tentant d'être rassurant, comme toutes les fois où il lui a rendu visite au centre. Des visites éclair et polies. Des obligations. Son malaise ne vient pas de lui. C'est qu'il sait que sa mère est là, à l'intérieur de la maison… et qu'elle l'attend. Que peut-on dire à sa mère après deux ans et demi? Quelle excuse pourrait-il bien prononcer? Il a rejoué cette scène dans sa tête maintes et maintes fois, au cours des derniers mois. Pourtant, il n'arrive pas à bouger. Son corps refuse. Sa tête menace d'exploser. Il préférerait retourner au centre, recevoir mille coups, mourir. Il préférerait être n'importe où, sauf là.

La porte de la maison s'ouvre. Il aperçoit la silhouette de sa mère qui se tient dans l'embrasure, son corps frêle et tremblant, une main posée sur sa bouche pour cacher son horrible expression. Un mélange de joie, de peur, de douleur. Il sait que c'est de sa faute si elle souffre. Ce n'est pas juste sa vie à lui qu'il a gâchée en pressant la gâchette, ce jour-là. C'est sa vie à elle. Ce sont ses illusions d'avoir un fils parfait qu'il a anéanties à tout jamais.

Son père ouvre la portière. Il lui dit quelque chose, mais il n'entend pas. Il a l'impression que l'atmosphère se referme sur lui, que les lois de la physique ne s'appliquent plus. Tout se déroule au ralenti, comme s'il tentait d'avancer contre le courant. Pendant un instant, il quitte son corps et se voit sortir du véhicule, lentement. Son père dépose sa main libre dans son dos pendant que sa mère court vers lui. Elle le serre dans ses bras. Elle pleure beaucoup. De gros sanglots. Elle prononce des mots incompréhensibles entre chaque hoquet. Elle lui caresse les cheveux.

Lui, il ne sait pas ce qu'il ressent. Une émotion qu'il ne connaît pas. Proche de l'indifférence et de la colère. Une asthénie.

Il entre dans la maison. Une odeur qu'il avait oubliée. Ça le fait frissonner. Il ne s'attendait pas à cela. Des images floues défilent dans son esprit, des flashs de son ancienne vie, de celui qu'il était avant. Les souvenirs réveillent immédiatement des sentiments enfouis, des états d'âme désagréables qu'il aurait souhaité disparus. Il regarde autour de lui pour constater que rien n'a changé. Tout est à la même place que ce matin d'automne où il a quitté la demeure pour la dernière fois. Comme si, pendant qu'il grandissait dans sa cellule, le temps s'était figé à l'intérieur de la maison. Il ne peut s'empêcher de penser que c'est insensé, qu'ils auraient dû tout repeindre, effacer toute trace de son existence. Au contraire, sa mère a tout gardé intact, refusant d'admettre sa nouvelle réalité, sombrant tranquillement dans la dépression.

Il n'ose pas la regarder dans les yeux. Il a trop peur de ne pas la reconnaître. Pire, il a peur de s'y voir. De voir sa médiocrité à travers ses yeux. Sa mère a toujours eu un don spécial pour lui faire sentir qu'il était un échec, d'un simple regard. Il n'a pas besoin de ça. Pas aujourd'hui.

Son père dépose le sac au pied de l'escalier. Sa mère se mouche bruyamment avant de lui proposer quelque chose à boire, à manger. *Tu dois être fatigué*, dit-elle. Il n'a pas faim. En fait, il a mal au cœur. Il voudrait chasser cette odeur de ses narines, ne plus la sentir. Il se sent étouffé. Pris au piège. Son père se sert un café et s'assied à la table de cuisine. Sa mère fait les cent pas, en continuant de lui offrir tout ce qu'elle trouve dans les armoires. Elle est étourdissante. C'est trop pour lui. Pour qu'elle se taise, il manifeste son intérêt pour un café. Noir.

Le silence est lourd. Omniprésent. Seul le son d'une tondeuse lointaine entre par vagues à travers la porte-moustiquaire de la cuisine. Ils ne se regardent pas. Lui, il préfère le silence aux paroles nerveuses de sa mère. Il voudrait dire quelque chose. Être heureux d'être là. Il voudrait dissiper le malaise. Se souvenir d'une blague idiote entendue au centre. Mais son cerveau est las. Il n'est sorti que depuis quelques heures, et il se sent déjà épuisé.

Au bout d'un moment, il avale son café tiède d'un trait et demande à être excusé de table. Prendre une douche. Défaire son sac. Dormir un peu. Comme s'il venait de leur annoncer la fin du monde, ses deux parents se lèvent promptement. Ils sont à la fois paniqués et soulagés. *Bien sûr! Bien sûr! Tu dois être épuisé! Va! Va! Fais comme chez vous!*

Comme chez lui…

Étrange comme ses jambes le ramènent d'instinct vers sa chambre au sous-sol. Le bruit de ses pas sur le tapis épais a quelque chose d'apaisant. D'angoissant aussi. Loin d'eux, il a enfin l'impression de mieux respirer. La présence de ses parents s'est rapidement montrée dérangeante. Il a envie d'être seul. De se sentir seul. Il en a le fantasme depuis longtemps. Au centre, la solitude était toujours une illusion. Il était observé constamment. Surveillé. Analysé. Ici, enfin, dans l'humidité familière du sous-sol de la maison qui l'a vu naître, il peut de nouveau s'isoler. C'est grandiose.

Les meubles sont les mêmes. Les bibelots sont toujours à leur place, fraîchement époussetés. Mais ses parents ont retiré les affiches de ses groupes préférés, celui avec une tête de mort au centre d'un pentagramme, aussi. Ils ont repeint les murs en beige. Peu lui importe. Mieux vaut cette couleur que le béton horrible de sa minuscule cellule au centre.

Il dépose son sac par terre. Il n'a pas envie de le vider. Il sait que tout ce dont il a besoin s'y trouve. Il fouille au hasard dans ses tiroirs et retrouve ses vieux vêtements. Il ne pourra plus les porter. Ces morceaux-là appartiennent à un enfant. Un autre lui, qui n'existe plus que dans la mémoire de sa mère. Il attendra un peu avant de les jeter, pour ne pas lui faire de peine. Il pense tout à coup qu'il devra se trouver un peu d'argent pour rebâtir sa garde-robe. Après presque trois ans à revêtir les mêmes tissus, les mêmes couleurs ternes, il a la folle impulsion de porter du bleu. Du vert. Du rouge. De se trouver une nouvelle personnalité.

Il retire ses vêtements, un à un, lentement, comme s'il accomplissait un rituel sacré. Au fond de son sac, il trouve son revêtement de sport. En se dirigeant vers la salle de bain, il agrippe une serviette dans l'armoire qui n'a pas changé de place non plus. Il entend la télévision à l'étage, au-dessus de lui, ses parents qui chuchotent. Ça lui fait drôle de se promener nu dans cette maison. L'air qui lui frôle la peau est différent de celui du centre. Il a quelque chose de doux. En refermant la porte derrière lui, il s'aperçoit aussitôt dans le miroir, au-dessus du lavabo. Il se voit, mais son reflet ne semble pas appartenir au décor. Il se rappelle avoir massacré ses cheveux ici, des années auparavant. De les avoir teints en noir. De s'être enlaidi volontairement pour se donner du courage. Il ne reste plus rien de cette personne-là, à part une cicatrice, juste en haut de son œil.

Il songe à se raser le visage, mais il n'y a pas de rasoir dans les tiroirs. Ni de ciseaux. La pharmacie a été vidée de son contenu. Il n'y reste qu'un tube de dentifrice et un pot d'onguent à l'eucalyptus. Il y a trois ans de cela, elle avait abrité une quantité scandaleuse de contenants de pilules et de bouteilles de sirop. Il se souvient de son témoignage en cour, d'avoir dit qu'il se médicamentait à même les prescriptions de ses parents. Ils ont dû s'en souvenir.

Il reste longtemps sous la douche. Il savoure le fait qu'ici, le temps n'est pas compté. Il n'a pas à se soucier de l'eau chaude ou d'un quelconque horaire. Il n'a pas besoin de se masturber en vitesse. Il n'a même pas besoin de se laver. Il se contente de laisser le jet puissant marteler sa peau.

Lorsqu'il s'effondre sur le matelas, il savoure le frisson qui parcourt son corps lorsque son torse nu rencontre le drap froid. Il n'arrive pas à croire qu'il est là, dans sa chambre d'adolescent, qu'aucun intervenant ne viendra vérifier ses faits et gestes, que personne ne brusquera son sommeil pour le convier à un rendez-vous. Pour le reste de la journée, il n'a rien de prévu. Il est libre de son temps. Libre. C'est un concept qu'il avait fini par oublier.

Il fixe le plafond pendant de longues minutes. Il n'arrive pas à formuler une pensée claire. Tout est chaotique. Il lui faudra quelques jours pour qu'il réussisse à faire de cette nouvelle situation sa réalité. Pour l'instant, c'est encore trop beau pour être vrai. Trop étrange. Il saisit un des oreillers pour se lover contre lui. Il ferme les yeux. Il espère tomber dans un sommeil profond. Sans cauchemar. Sans souvenir.

T'aimes ça, toi, manger des graines,
hein ti-cul ?
Me semblait aussi que t'avais l'air d'un fif.
Osti d'tapette !

Malik s'installe devant l'écran lumineux. Il se force à boire une gorgée de la bouteille d'eau glacée qu'il a posée sur le bureau. Ça goûte la poussière. Le métal. Il grimace en avalant le liquide froid. Ses doigts s'agitent sur le clavier, comme s'ils savaient d'avance ce que sa tête renfermait. Le bruit des touches s'élève dans la pièce en se métamorphosant en mélodie. Il sent le rythme résonner dans son thorax. Plus il tape, plus il se sent bien. Il n'y a plus que ce son. Il ne fait désormais qu'un avec son ordinateur.

Il vient d'avaler le dernier cachet qui restait dans sa capsule, sans même y penser. Il avait besoin de retrouver la sensation d'invincibilité que lui procurent les amphétamines, c'était vital. Un manque étourdissant qui creusait son estomac tel un trou noir qui menaçait d'aspirer son être au grand complet. Un vide qu'il n'arrive plus à remplir qu'à l'aide de son vice. Un speed vicieux. Une sortie de secours.

Les écouteurs lourds semblent caresser ses oreilles, l'enveloppent dans une bulle de silence qui l'isole instantanément du grésillement électrique qui l'entourait, quelques secondes plus tôt. Il lance la musique électronique en montant le volume à son maximum. Il ajuste le BPM pour le synchroniser à son rythme cardiaque, en sentant un frisson de plaisir parcourir sa colonne vertébrale. Il est paré pour la soirée.

Pour la nuit.

Derrière lui, Ludovic, avec qui il partage sa chambre depuis le début de l'année scolaire, paraît avoir une longueur d'avance sur lui. Il programme furieusement depuis deux heures, sans quitter son écran des yeux. C'est Ludo qui l'a initié au speed, l'ayant pris en pitié, avec son énorme café et ses yeux cernés. Il en était désormais accro, au point de ne plus pouvoir rédiger ses travaux sans être sous influence. *Après le cégep*, se disait-il. *Après le cégep, j'arrêterai.*

Malik allume son deuxième écran afin d'y étaler toutes les fenêtres qu'il vient d'ouvrir. Ici et là, des fragments de l'algorithme sur lequel il bosse depuis des semaines, sans arriver à un résultat satisfaisant. Chaque fois qu'il termine une nouvelle séance de travail, il se maudit de ne pas avoir choisi un champ d'études différent. Il est persuadé que tous les idiots qui étudient en sciences humaines se la coulent beaucoup plus douce que lui. Il les entend souvent, au petit matin, rentrer aux résidences, complètement bourrés, sans aucune considération pour ceux et celles qui s'acharnent pour réussir leurs études. Il les juge.

Et pourtant, c'est grâce à eux, à leurs manies de cliquer sur n'importe quoi, qu'il engrosse son compte bancaire. Jamais le placement de produits et de publicités diverses n'a été aussi lucratif. Il nourrit leur dépendance en prenant le contrôle des diverses plateformes offertes par l'école. Comme la direction y connaît que dalle, il exploite le filon en profitant de la naïveté des étudiants soudés à leurs téléphones intelligents, esclaves des médias sociaux.

Dans le coin supérieur de l'écran de gauche, son fil de nouvelles défile à toute vitesse. Commentaire sur commentaire. *Hashtag* par-dessus *hashtag*. Un ramassis de *selfies*, de vidéos de chatons, de recettes de cuisine exécutées en accéléré. L'un partage ce que l'autre a partagé, et ainsi de suite, créant un flot continu de statuts sans personnalité. Sans arrière-pensée. Pourtant, ce soir-là, tout le monde semble cibler le même sujet, profitant de l'occasion pour y ajouter son grain de sel ou un emoji à l'air triste.

Aux États-Unis, deux adolescents sont entrés dans leur école secondaire, armés jusqu'aux dents. Ils ont abattu de sang-froid une douzaine d'élèves avant de se donner la mort. La planète est en émoi. Internet explose devant cette petite communauté qui implose. Le choc est terrible. Les médias traditionnels s'emballent et en l'espace de quelques minutes, il n'existe plus que ça. Le malheur des autres. Les hypothèses. Les images choquantes et sensationnalistes. Un gavage volontaire pour alimenter ceux qui désirent être solidaires dans le confort de leur salon.

Les forums s'animent. Malik fait craquer ses phalanges en se léchant les lèvres d'excitation. Chaque nouvelle entrée fait sonner sa machine à sous informatique. Chaque nouvelle inscription déclenche une pluie de publicités qui clignotent à l'écran dans l'indifférence complète des utilisateurs. Ils ne les remarquent plus. Mais pour lui, ça devient payant.

Il entre son mot de passe dans la case prévue, vingt-trois caractères, dans un ordre complètement aléatoire, que ses doigts connaissent par cœur. Il pose ses mains derrière sa tête en observant les fenêtres s'ouvrir en avalanche devant ses yeux. Il se réjouit devant autant de travail. La nuit sera longue.

Il approuve les commentaires à la vitesse de l'éclair. Toute sa concentration est dirigée vers les différents forums de l'école qu'il administre sous le nom de B3lzébuth_01. Du coin de l'œil, il aperçoit les lumières bleues de son routeur qui clignotent si rapidement qu'elles créent l'effet d'un stroboscope sur le mur de sa chambre.

Il se force à boire une gorgée d'eau en fixant le signalement qui vient d'apparaître sur un nouveau fil, un commentaire qui a été ajouté par un des utilisateurs du forum dans l'après-midi. Un novice. Membre depuis un an. Zéro contribution. Jusqu'à aujourd'hui. Les réponses qui accompagnent son billet sont nombreuses. Éparses. Irréelles.

Bien fait pour eux ! Les Américains ont compris que des fois, il faut prendre la justice entre ses mains. Les gouvernements du monde entier assassinent des milliers de civils chaque année sans conséquence. Les Américains en premier. Si une poignée d'hommes ont le pouvoir de tuer, pourquoi pas le commun des mortels. Raser la planète de la vermine. Des douchebags. Des imbéciles. On devrait tous faire comme ces deux gars là ! Débarrasser le monde de ceux qui ne font que l'enlaidir ! Aux armes !

Hey ! Chose ! Tu pourrais avoir un peu de respect pour les innocents qui sont morts. Maudit malade ! Faut être épais rare pour dire des affaires de même. Je vais tellement alerter le modérateur !

Tu dirais jamais ça si t'étais en face de moi. Je te trancherais la gorge, bitch. T'es pas mieux que le reste !

Gros cave. Suicide-toi donc.

Chu ben dakor avec toé ! Tué lé toutt esti !

Commence donc par apprendre à écrire. Troll.

Quand j'étais au secondaire, y a un élève qui a fait comme tu dis. Je peux te garantir qu'après, ça marchait drette en esti dans les corridors!

Ouais! Je me rappelle de ça, il y a une couple d'années! Qu'est-ce qui est arrivé au gars, le sais-tu? Y ont-tu donné une médaille?

Aucune idée. J'espère!

Moi aussi j'étais dans l'école quand c'est arrivé. Je le connaissais celui qui est mort. Un vrai trou de cul. Bon débarras!

On se connaît? MP moi.

Si on tuait tous les imbéciles, y resterait pu grand monde.

Les politiciens c'est juste une gang d'hypocrites pis de pourris! Quand c'est arrivé y'a deux ans, on voyait juste eux autres à la tv, avec leur discours de marde. C'est drôle, ils avaient pu grand-chose à dire quand le gars a été jugé au juvénile au lieu de se faire crisser en prison!

Tu me niaises?

Pantoute. Regarde ça : http://bit.ly/2r0EkJZ

Man! C'est malade, ça! Faudrait retrouver le gars! L'aider à finir ce qu'il a commencé! Power to the people.

MDR. T'es cave.

Je suis sérieux.

J'aime comment tu penses. On gagnerait sérieusement à avoir plus de gars comme toi dans notre groupe. Si tu es sérieux, je pourrais te présenter aux autres membres de notre mouvement.

Détails?

On prépare un coup. quekchose de big.
Man. Je suis prêt! Dis-moi où et quand.
Pas ici. Je te rejoins en privé.

Malik fixe l'écran avec stupéfaction.

Il y a tellement de pensées qui se répercutent dans sa tête qu'il a l'impression que ses yeux vont exploser sous la pression. Son cœur bat plus rapidement. Il sent la sueur perler sur son front, ses muscles se contracter. Il repasse les derniers commentaires, encore et encore, comme s'il refusait de croire à ce qu'il vient de lire. *Le monde est fou*, se dit-il. *Le monde est* fucking *fou.*

Son corps tremble. Il récupère les adresses IP de chacun des utilisateurs, pour les copier dans un dossier à part, en essayant de calmer les spasmes qui attaquent ses doigts. Il a l'impression que le cachet qu'il a avalé est pris dans sa gorge, que plus jamais il ne réussira à avaler quoi que ce soit. Il voudrait réagir. Faire quelque chose. Mais quoi? Le seul pouvoir que B3lzébuth_01 possède est celui de supprimer les messages haineux. C'est lui le modérateur. Il n'y a personne d'autre qui puisse le débarrasser de la dynamite qu'il a entre les mains.

Tout lui revient. Il ferme les yeux en espérant que les images arrêtent de défiler dans sa tête, mais ça ne fait qu'empirer le vertige qui l'assaille. Il avait enfoui ce jour-là dans un coin sombre de sa mémoire, au fond d'un tiroir caché au plus profond de son subconscient. Avec le temps, il avait réussi à ne plus y penser. Les cauchemars avaient cessé. Il avait terminé son secondaire comme si rien ne s'était jamais passé. Oublier avait été difficile. Que ça ressurgisse ainsi était brutal.

Il revoit son visage. Son expression vide et sombre, défigurée par la cicatrice qui marquait son front. Les cernes violacés qui allaient se perdre dans ses joues creuses. La blancheur de sa peau, presque irréelle, contrastant avec ses cheveux d'un noir brillant. La folie dans le fond de ses yeux. Lui. Comme un portrait-robot imprimé dans ses souvenirs. Il le revoit clairement, dans les moindres détails, de la terre séchée sur ses bottes jusqu'à son petit sourire en coin alors qu'il brandissait le fusil de chasse dans sa direction.

Lui. Déversant toute sa haine sur lui. Sur eux. Il avait cru que c'était sa dernière heure, ce jour-là, qu'il allait crever au bout de son sang pour une connerie.

Une connerie.

Ils s'étaient amusés à ses dépens. Rien de terrible. Les enfants qui arrivaient en première secondaire finissaient tous par se ressembler, de toute façon. Ils avaient tous cette espèce d'air apeuré qui les faisait rire. Ses amis et lui s'amusaient follement à les terroriser sans raison. Juste comme ça. Ils étaient jeunes. Et cons. Jamais il n'aurait cru que ça pouvait dégénérer.

Il avait suivi sans rien dire. S'il s'était interposé, on l'aurait sans doute chassé de la gang. C'était déjà arrivé. Il s'était donc laissé entraîner par les autres, suivant les meneurs du groupe au détriment de sa raison… suivant ceux qu'il avait déjà considérés comme ses amis. Il les avait regardés, impuissant, en train de le battre. Ils se déchaînaient contre lui avec une violence assumée, en s'esclaffant devant ses plaintes. Lâchement, ils s'étaient enfuis en courant en le laissant seul et inconscient au milieu de la rue.

Il ne connaissait même pas son prénom. C'était juste un garçon étrange et ça dérangeait ses amis. Il ne savait même pas ce qui les avait poussés à s'en prendre à lui. Une remarque de travers, peut-être, un regard de trop. Il en fallait peu pour que ses camarades s'indignent.

Il a tout de suite su que ça tournerait mal. Aussitôt que l'autre est entré dans la cafétéria en sortant l'arme de son sac. Ce n'était plus le gamin à qui ils avaient foutu une raclée monumentale qui se tenait en face de lui. C'était un agent d'exécution venu pour les abattre. Il n'a suffi que d'un coup de feu pour qu'il sache, sans l'ombre d'un doute, que lui et ses amis méritaient cette sentence. Malgré la terreur, malgré la peur de mourir, il a compris que sa couardise et son silence avaient un prix. Parce que personne n'avait parlé. Ni lui ni les autres.

Malik, tétanisé, se précipite vers le lavabo qui se dresse dans le coin de la pièce et asperge son visage d'eau froide avec ses deux mains, sous le regard inquiet de Ludovic. Il a beau essayer de se calmer, l'effet des amphétamines semble se décupler à chaque nouvelle vague qu'il s'envoie dans la figure. Les flashs le submergent complètement. Le plafond qui s'écroule. L'odeur métallique du sang. Les hurlements qui résonnent dans le corridor de l'école. Le plancher froid de la cafétéria. Leur tortionnaire qui crie, qui hurle à s'en arracher les poumons. Le monde qui, tout à coup, n'a plus de sens.

Il se revoit, tentant de se cacher sous la table. Pendant un instant, il peut encore sentir la douleur dans sa jambe, à l'endroit précis où la balle a pénétré sa chair. Une douleur insupportable. Une blessure horrible dont il porte encore une cicatrice qui refuse de guérir complètement. Il n'a pas été pris en otage, ce jour-là, mais sa terreur a duré longtemps. Il est resté allongé sous la table, se tordant de douleur, pendant que d'autres coups de feu se faisaient entendre au loin.

L'horreur.

Il retourne à son bureau en vitesse, saisi par l'urgence. Il supprime. Il supprime. Il supprime. Il tape frénétiquement sur son clavier avec rage. Il bloque. Il les bloque tous. Plus jamais ils ne pollueront ses forums de leur venin, leurs idées débiles et inconcevables. Il ouvre une nouvelle fenêtre pour lancer un vieux système d'exploitation datant d'une autre époque. Il s'assure que les adresses IP sont bien affichées sur son écran de droite. Ses doigts composent rapidement la formule pour extraire le vieux programme qu'il utilisait lorsqu'il était jeune. Il l'exécute automatiquement en y entrant les coordonnées de ces connards avant de frapper sur la touche ENTRÉE avec son poing.

En une fraction de seconde, il vient de pulvériser le disque dur de sept ordinateurs en même temps, aux quatre coins de la ville.

C'est lui ou c'est moi.
Il n'y a pas d'autre issue possible.
Dans un cas comme dans l'autre,
il payera pour ce qu'il a fait.

L'autre aurait voulu que cette histoire lui appartienne.

Il sent qu'on a volé sa souffrance pour faire de lui un monstre. Pourtant, n'est-ce pas sur lui que cet abruti a pointé son arme, trois ans auparavant? N'est-ce pas son meilleur ami qu'il a vu se vider de son sang, devant ses yeux, sous le regard fou de cet adolescent sans nom? N'est-ce pas lui qui a été forcé de s'agenouiller devant la menace? N'est-ce pas lui qui est toujours hanté par des visions d'horreur, la nuit, quand les cauchemars le sortent du sommeil? N'est-ce pas lui, la victime?

Il voudrait oublier. Mais les mots de Gabriel lui reviennent toujours en écho. *Il est sorti,* man. *Ils l'ont laissé sortir, ces sacraments-là!* C'était insensé. C'est pourtant vrai. Près de trois ans après ce jour maudit, où il avait été humilié, torturé, terrorisé, ce malade avait été libéré du centre jeunesse dans lequel on l'avait enfermé. Il a envie de crier à l'injustice, de se rendre aux médias, de s'arranger pour qu'il disparaisse de la surface de la terre pour de bon. Mais c'est impossible. Pour faire ça, il faudrait qu'il affronte le fait qu'il a peut-être mérité ce qui est arrivé. Avouer l'inavouable.

Il regarde la lueur de l'aube se faufiler à travers les rideaux de la chambre. Il n'arrivera pas à se rendormir, il le sait. Il se redresse dans le lit, la tête lourde. Il a trop bu. Encore. Il essaie de se souvenir de la veille. Aucune idée de la façon dont il est revenu chez lui. Le souvenir vague des caresses de Rania sur sa peau. Son odeur. Elle est juste là, à côté de lui. Son corps nu contre le drap sale. Sa respiration apaisante. Seulement, il se sent loin d'elle.

Les yeux entrouverts, il agrippe la bouteille d'eau qui traîne sur sa table de chevet. De longues gorgées pour calmer sa soif, pour tuer le mal de crâne. Son corps est crispé et tordu. Il était déjà trop grand pour son matelas simple, y dormir à deux s'avérait toujours un calvaire, même s'il appréciait la présence de Rania dans son lit.

— Qu'est-ce tu fais? Y est même pas six heures.

— Rien. Rendors-toi.

Pour pisser, il s'assoit sur le siège de toilette. Il est trop fatigué pour se tenir debout. La céramique usée du plancher de la salle de bain est froide sous ses pieds. Ça le saisit au début, puis ça le calme. C'est la seule chose qu'il aime de son appartement minuscule, ce deux et demie miteux dans lequel il a trouvé refuge pour fuir le taudis dans lequel il vivait avec ses frères, sa mère et le gros dégueulasse qui s'était imposé comme son beau-père. Ce n'était pas l'idéal, mais il avait décidé que dix-sept ans, c'était l'âge parfait pour partir. Il en avait eu assez de voir sa mère se plier en quatre pour plaire à cet homme qui ne faisait qu'abuser d'elle. Il en avait eu assez de partager sa chambre avec son plus jeune frère. Assez d'être celui qui mange les volées pour protéger les autres. Ce n'était pas une vie. Il avait laissé tomber l'école pour se trouver un boulot dans un entrepôt où il passait la majorité de son temps à mettre des saucisses dans des paquets de plastique. C'était routinier, à la chaîne et d'un ennui mortel. Mais au moins, pendant qu'il faisait les mêmes gestes à répétition, il ne pensait pas à tout le reste.

Il n'est jamais retourné chez sa mère. Son père, disparu depuis des années, n'a probablement même pas ses coordonnées. De toute façon, il n'attend rien de la part de son père. Celui-ci n'a jamais voulu d'enfants en premier lieu. Il est parti lorsqu'il avait à peine un an. Sa mère s'est vite recasée avec un autre, aussi lâche que le précédent. Aussi irresponsable. Elle a fini par le comprendre après avoir eu deux autres enfants de lui. Le problème, c'est que sa mère cherche l'amour au fond d'une bouteille. Et elle le cherche à tout prix, quitte à accepter le premier venu qui lui manifeste un minimum d'affection. Elle se tanne, généralement au bout de deux ou trois ans... et elle recommence. Lui, il n'a pas envie d'avoir une vie comme celle-là. Et, malgré le fait qu'il passe la plupart de ses soirées à saouler son ennui, il a l'ambition de réussir. Il travaillera, d'arrache-pied, pour se faire une bonne vie. Loin de la banlieue où il a grandi. Loin de la polyvalente qui l'a élevé au rang d'invincible avant de le réduire à celui de minus. Qu'ils aillent tous se faire foutre !

Il est sorti, man. *Ils l'ont laissé sortir, ces sacraments-là !* L'incrédulité dans les yeux de son ami l'a ému. Toutefois, lui, il a toujours su que ce jour-là viendrait, depuis le moment où il s'est assis au palais de justice pour écouter le témoignage de son tortionnaire... depuis le moment où il a compris qu'il n'avait pas été choisi au hasard, cette journée-là dans l'école. C'est un désir de vengeance qui avait habité son bourreau. Un désir de tuer. De le tuer, lui.

— C'est loin, cette histoire-là, Gab. On s'en crisse de lui, qu'il avait dit.

— Faut faire quek chose, voyons !

— Oublie ça, *man*, OK ?

— T'es ben rendu fif, toi, crisse ! Demande-toi pas pourquoi pus personne te parle !

Gabriel est parti en furie. Il ne lui en voulait pas. Il comprenait sa colère, sa frustration. Il n'a simplement pas envie de revivre ça. Les mois qui ont suivi la fusillade ont été durs pour lui. Entre les journaux, la télé, le psychologue de l'école, les longs discours moralisateurs des profs sur l'intimidation et ses répercussions, il a fini par devenir las. Le choc initial a laissé place à une totale indifférence. Ses prétendus amis l'ont abandonné, les uns après les autres. Fini le règne de la cour d'école. Fini l'aura de champion. Il est devenu celui qui n'a pas osé tenir tête à un petit con avec une arme à feu. Il est devenu celui qui a eu peur.

En chemin vers son lit, il attrape son caleçon sur le tapis et l'enfile. Assis sur le bord du matelas, il regarde son téléphone portable. Il a envie de joindre son cousin Zachary. Envie de s'excuser. Il commence à écrire un texto. Il efface. Recommence. Recompose. Efface. Il éteint l'écran et lance le téléphone plus loin sur le plancher. Il n'arrivera jamais à trouver les mots justes pour se faire pardonner. Zach et lui, à une certaine époque, étaient inséparables. Les plus grands complices. Si seulement il avait su. Maintenant, c'est trop tard. Son cousin le déteste. Au procès, il n'a même pas osé le regarder.

Les mains de Rania sur son torse, ses doigts fins s'enroulant autour de son poil. La sensation de ses lèvres sur son épaule. Sa voix douce qui lui murmure de revenir auprès d'elle. Il se laisse emporter et prend place sur ses seins, à l'endroit précis où les premiers rayons de soleil atterrissent. Il se laisse bercer par la respiration de sa copine et la chaleur enveloppante du matin.

Il voudrait oublier.

Ses traits ont peut-être changé.
C'est peut-être un homme qui se tient
devant moi.
Mais je le vois tel qu'il était.
Tel qu'il est.
Un monstre.

Maeva donne un coup de pied dans la porte qui s'ouvre sur la ruelle, derrière la boutique de vêtements où elle travaille depuis bientôt deux mois. Elle s'accroupit sur la marche en béton en soupirant. La vague de chaleur qui envahit la métropole fait fondre les derniers bancs de neige souillés, répandant dans l'air l'odeur fétide de la pisse de chat et des vidanges qui dégèlent.

Elle s'allume une cigarette en soufflant la fumée vers le ciel d'un mouvement de tête. Elle attend ce moment depuis qu'elle est arrivée, quelques heures plus tôt. Sa gérante, une pimbêche frigide avec un sérieux manque d'humour, lui a encore fait la morale. Elle a eu beau lui expliquer que l'alarme de son téléphone n'avait pas sonné à l'heure prévue, que le métro était en panne, qu'elle n'a pas les moyens de sauter dans un taxi, sa gérante a simplement levé les yeux dans les airs. Avec attitude, elle lui a formellement indiqué que c'était son dernier avis. Au prochain retard, elle devra se trouver un autre employeur à qui faire subir son manque de professionnalisme.

Maeva tuerait pour un café. Un énorme choco-latte doublé d'un extra dose d'espresso.

N'importe quoi pour lui donner l'énergie de sourire aux filles pleines de fric qui envahissent la boutique à la recherche de la robe de bal parfaite. Juste un petit stimulant afin de ne pas paraître insultée chaque fois qu'on refuse de lui parler en français en la dévisageant de la tête aux pieds.

Elle saisit son téléphone dans la poche arrière du jean trop serré qu'elle doit porter pour se fondre au décor. Encore une fois, elle a oublié de descendre les sacs à ordures pour les mettre sur le bord de la rue. Elle préfère tout de suite envoyer un texto rapide à sa coloc avant que celle-ci s'en aperçoive. Avec un peu de chance, elle le fera à sa place.

Depuis le dernier coup d'œil qu'elle a jeté à son appareil, les alertes se sont accumulées. Elle ouvre l'application, plus par habitude que par réelle curiosité. La première publication qui s'affiche lui coupe le souffle.

C'est une vieille amie, qu'elle n'a pas revue depuis des années, qui vient d'y réagir.

Une photo floue. Pixellisée.

1756 réactions.

212 commentaires.

163 partages.

6285 vues.

Maeva appuie sur l'encadré pour agrandir le cliché. Elle glisse ses doigts sur l'écran pour dévoiler la suite du texte.

Partagez ! Cet individu est dangereux et se promène librement dans nos rues. Il est l'auteur de la fusillade de notre école secondaire et responsable de la mort de notre ami, l'un des nôtres qu'il a abattu de sang-froid. Aidez-nous à garder nos rues sécuritaires en signant notre pétition pour exiger sa relocalisation immédiate, loin de notre ville. Faites circuler !

Oh ! mon Dieu, murmure-t-elle du bout des lèvres. C'est lui.

Lui. Il regarde l'immense maison, comme un château.

Il se sent tout petit.

Il hésite. Et s'il se trompait? S'il n'était pas le bienvenu?

Il jette un autre coup d'œil à l'enveloppe froissée qu'il garde dans sa poche de pantalon. C'est bien la bonne adresse, il n'y a pas de doute. Mais il a peur. Il aurait voulu mieux paraître, avoir autre chose à se mettre sur le dos que ses vêtements du centre. Il n'a pas osé demander à ses parents de lui en acheter d'autres. C'est encore délicat avec eux, même si trois semaines se sont écoulées depuis son retour. Il n'est pas redevenu leur fils et ils ne sont pas redevenus les parents qu'ils avaient naguère été. Ils se contentent de lui sourire timidement, de le nourrir, de le laisser à lui-même.

— Ça prend du temps avant que les liens rompus ne se nouent à nouveau. Ça prend de l'effort. Il va falloir que tu y mettes du tien. Que tu travailles.

Son docteur a toujours les mots justes pour le décontenancer, pour retourner contre lui ses doléances. Même pas moyen de s'apitoyer sur son sort, ne serait-ce qu'un peu. Le psychologue ne fonctionne pas comme ça.

Il prend une grande respiration pour se donner du courage. Il ferme les yeux, comme si ce qu'il s'apprêtait à faire mettait sa vie en danger, et il appuie sur la sonnette. D'instinct, il recule de quelques pas. L'idée de fuir traverse son esprit, mais avant qu'il ait le temps de l'envisager, la porte s'ouvre. La femme lui sourit poliment, s'attendant probablement à ce qu'il vende quelque chose. Elle ne le reconnaît pas.

— Euh… Bonjour. Est-ce que Zachary serait là, par hasard ?

— Zach ? Mon doux, oui. Il est juste à l'arrière en train de gratter le terrain. Vous pouvez y aller, la porte est juste là.

Il la remercie gentiment. Elle l'observe longuement, les sourcils froncés. Elle se demande sûrement d'où elle le connaît. Elle attend qu'il se dirige vers la cour arrière avant de refermer la porte.

Son cœur s'emballe. Il ne se souvient pas avoir déjà été aussi nerveux. À part peut-être à sa première journée d'école quand il avait six ans. Le soleil semble le frapper avec plus d'insistance que tout à l'heure, la chaleur est suffocante. Il s'arrête devant la porte de la clôture. Il entend le bruit de la tondeuse de l'autre côté, plus loin. Il songe à nouveau à se sauver. Revenir. Plus tard. Un autre jour. Mais ses pieds restent plantés dans la pelouse. C'est son corps qui lui dicte de ne pas partir. Il a besoin d'être là. Besoin de savoir.

Il tente de se bomber le torse, de se tenir droit, de retrouver un semblant d'assurance et il pousse la porte en retenant son souffle. En le voyant, son corps tout entier est traversé par un éclair. Un frisson intense qui lui parcourt l'échine, qui s'enfonce dans ses nerfs. C'est viscéral et grandiose, comme un vertige, comme s'il tombait en chute libre.

Il est penché vers l'avant, concentré sur la tâche qu'il accomplit. Même de loin, il peut voir que son ancien voisin est beaucoup plus grand que lui. Il a la carrure d'un homme qu'il dissimule sous un short trop grand pour lui. En revanche, sa camisole noire laisse entrevoir un corps athlétique qu'il n'avait pas du tout la dernière fois qu'il l'a vu… la seule fois où il est venu le visiter au centre. Ils étaient encore des enfants.

Zachary relève la tête et dirige son regard droit sur lui. Les cheveux sont longs. Son visage laisse présager un début de barbe et ses yeux sont toujours aussi perçants. Malgré les années, malgré la distance, il a toujours l'air sorti tout droit d'un film, une gueule parfaite de jeune homme à la mode. Une beauté candide. Il laisse tomber le fil qu'il tenait entre ses mains et se redresse immédiatement.

C'est lui qu'il regarde. C'est vers lui qu'il se précipite.

Ils se fixent en silence, haletants comme s'ils venaient de courir un marathon. C'est l'émotion qui les habite. Une émotion forte et palpable. Zach le regarde. Il n'a plus rien de l'adolescent abîmé qu'il a laissé au centre. Ses cicatrices lui donnent un air sérieux et dur, mais derrière ses yeux, il le reconnaît. Malgré son crâne rasé, sa barbe fournie, soigneusement taillée, c'est lui. C'est son meilleur ami. Celui qu'il attend depuis deux ans et demi.

Zach est submergé par l'adrénaline. Son torse se soulève de façon incontrôlable. Il se retient pour ne pas hurler, partagé entre l'envie de pleurer et de rire. Lui, regarde Zachary, incapable de dire quoi que ce soit. Il ne fait que serrer l'enveloppe dans ses mains, tellement fort qu'il ne sent plus l'extrémité de ses doigts.

— T'es sorti, souffle-t-il.

— Ouais. Je savais pas si…

Zach ne le laisse pas finir sa phrase. Il lui agrippe la main, l'attire vers lui dans un geste spontané et le serre de toutes ses forces dans ses bras, n'arrivant pas à croire à l'apparition de son ami dans sa cour.

Il lui rend son étreinte. Il s'accroche à lui, sans s'en rendre compte. Il ne savait pas qu'on pouvait ressentir pareille affection. Il n'avait jamais réalisé que ce contact, aussi anodin soit-il, pouvait être la seule chose qui se rapproche autant du bonheur. Il prend tout. Tout en lui. Toutes les sensations, toutes les odeurs. Ça le possède complètement, comme un tsunami. Ça se loge quelque part dans sa gorge. Une boule d'émotion. Une immense tristesse qui le remplit d'amour. Zach. Son meilleur ami.

Zach lui prend la tête entre ses mains et plonge son regard dans le sien en criant de joie. Il peut voir deux grosses larmes couler sur son visage. Il n'avait pas prévu ça. Il s'écroule, retenant le sanglot qui menace de sortir de sa poitrine. C'est beaucoup pour lui. Il voudrait lui dire tout ce qu'il est venu lui dire. Le remercier. De toutes ses lettres. Constantes. Toutes les semaines. Toutes les petites boîtes dans lesquelles il mettait quelques paquets de cigarettes, un livre de poche parfois, quelques photos de jolies filles qu'il découpait dans ses revues. Il voudrait lui dire que c'est ce qui l'a tenu en vie pendant tous ces longs mois enfermés dans l'enfer qu'il avait jeté sur lui-même. Il voudrait lui dire que sans lui, jamais il n'aurait eu le courage de raconter son histoire en cour, d'affronter le psychologue, semaine après semaine, jour après jour. Il voudrait s'excuser d'être resté muet.

Mais il ne dit rien.

Il se contente de rire. De pleurer.

Ils restent allongés l'un à côté de l'autre, comme si le temps n'avait jamais passé. Comme les deux adolescents qu'ils ont été avant qu'il ne bousille tout.

— J'aurais dû t'écrire. Au moins te répondre, t'sais. Je sais pas pourquoi je l'ai pas fait. Je l'sais pas…

— C'est tellement pas grave.

— Non. Ça m'a sauvé la vie, ce que tu as fait. Je vais tout te remettre ça, Zach.

— Arrête, esti! Je veux rien. T'es là, *man*. C'est tout ce qui compte.

Je le dévisage avec arrogance.
Il recule.
Qu'est-ce qu'il y a? As-tu peur?
As-tu peur de moi?

Travis refile un billet de vingt dollars, plié triangulairement, c'est sa signature, à la serveuse qui le remercie timidement en débarrassant les assiettes vides sur la table. Elle sait qui il est. Elle sait qu'il vaut mieux le laisser la déshabiller des yeux en acceptant ses pourboires généreux. Il attrape un cure-dent qu'il dépose dans le coin de sa bouche en se réinstallant, les bras ouverts, appuyés sur le dossier de la banquette. Il commence toutes ses journées de la même façon. C'est une routine à laquelle il tient, peu importe le pleurnichage de ses acolytes qui préfèrent l'action à la lenteur. Ce deli, c'est son bureau. Son quartier général. Si quelqu'un le cherche, on sait où le trouver entre onze et quinze heures. Du lundi au vendredi. Sans faute.

Le vieux bonhomme derrière les portes battantes, jaunies par le temps et la friture, sait exactement comment cuire ses œufs, comme il les aime. À la perfection. Les serveuses sont toujours belles, jeunes et discrètes, et il s'assure de bien récompenser leur silence. Sauf aux aurores, l'endroit est presque toujours désert, ce qui est idéal pour rencontrer ses divers contacts loin des oreilles curieuses. Le reste du temps, Travis en profite pour relaxer un peu avant de régler le programme de sa soirée. Les deux gars en face de lui, eux, sont déjà au travail, penchés sur leur téléphone.

Travis cale le reste de son jus de tomate en soupirant de satisfaction. Il se sent en contrôle. Au-dessus de ses affaires. Ça faisait longtemps que ce n'était pas arrivé. Il peut enfin respirer un peu après avoir roulé sa bosse comme un damné ces derniers mois.

La clochette au-dessus de la porte du petit restaurant sonne lorsque quelqu'un entre. La serveuse lève les yeux, occupée derrière son comptoir. Ce n'est visiblement pas un client qui vient réclamer un club sandwich. Elle l'ignore en voyant que le jeune homme se dirige tout droit vers le fond du *diner* où se trouve la banquette de Travis. Le pantalon d'armée qu'il porte a l'air trop grand pour lui et le force à adopter une démarche nonchalante. La fermeture éclair à moitié remontée de sa veste kangourou en coton noir laisse paraître une camisole blanche ajustée sur laquelle repose une chaîne en or délicate.

Deux colosses se lèvent aussitôt pour lui bloquer le chemin. Ils doivent bien le dépasser de deux têtes et l'interrogent silencieusement en le regardant de haut, les bras croisés sur leurs pectoraux. Travis s'étire le cou, en tenant son cure-dent d'une main, pour essayer de voir qui se cache derrière ses chiens de garde.

— *Who's it ?* qu'il lance.

Le jeune homme retire sa casquette en levant les mains devant lui en signe de bonne volonté. Travis le reconnaît immédiatement et saute sur ses pieds pour aller à sa rencontre. C'est lui.

— *Holy shit ! Bro*, t'es *out* !

Les deux géants se rassoient en silence pendant que Travis agrippe la main de son ami en lui donnant un coup d'épaule, une tape dans le dos de sa main libre. Travis fait signe aux deux autres gars de laisser leur place sur la banquette au nouveau venu qui s'installe face à lui.

— *Man !* T'as l'air en forme ! T'as *bulké up*, mon p'tit crisse ! *You looking good, man !* T'es sorti quand ?

— Ça va faire un mois, demain.

— *Fuck those fuckers, man !* J'suis content de te voir, *bro.* Ça va faire, quoi, un an ?

Il hausse les épaules. Il regarde autour nerveusement, réalisant qu'il détonne avec tout ce qui l'entoure. Pendant un moment, il regrette d'être venu. En se rendant jusque-là, il a violé au moins trois de ses conditions de libération. S'il fallait que la police débarque et qu'il se fasse prendre, il se payerait un aller simple pour le centre. Peut-être même la prison.

— Je m'excuse de débarquer de même. Avant ton départ, tu m'avais dit que si y avait quek chose, je pouvais toujours te trouver ici. Que tu pourrais m'aider.

Travis se penche vers lui, les deux mains appuyées sur la table.

— Je vais toujours être là pour un des miens, *bro*. Demande-moi c'que tu veux.

Il fouille dans les poches de sa veste en coton et en sort un papier qu'il glisse en direction de Travis sur la table. Une liste gribouillée à la hâte dans l'autobus qui l'a mené jusque dans le quartier, que ce dernier évalue avec un air mi-surpris, mi-impressionné.

— Le *fuck*, c'est que j'ai pas une cenne.

— *Who cares? I got some*, rétorque Travis en faisant un signe de la main à un de ses bras droits.

Celui-ci regarde la liste que son patron vient de lui tendre, la fourre dans la poche de son pantalon et quitte le restaurant en marchant d'un pas rapide.

— *Don't worry, man.* On trouvera ben une façon que tu me remettes ça ! *We're family.*

L'autre fait signe au barman de lui servir une autre pinte. Il fouille dans ses poches pour rassembler les pièces qui lui restent. Ce sera sa dernière bière. À moins qu'il ne réussisse à convaincre Billy de lui payer une tournée. Il a le tour avec lui.

— Tu trouves pas que t'en as bu assez, *big*?

— *Come ooooon*. Chus même pas saoul!

Pourtant, il l'est. Il le sait. Mais il a besoin de continuer de boire. Sa soif n'a de limite que le sommeil. Tant qu'il pourra encore marcher, il continuera de boire. C'est jeudi après tout. Il ne travaille pas demain. Il a le droit d'être ivre, comme tout le monde.

Le barman lui sert une autre pinte après avoir soigneusement compté le change sur le comptoir. Il lui fait un sourire arrogant en lui disant de garder le change avant de retourner au fond du bar, où Rania l'attend assise à une table. La musique est forte et agressante. Il entend à peine ce qu'elle lui dit.

— Quoi?

— Tu marches croche!

— Hey! Veux-tu ben me crisser patience avec ça!

Il la regarde se lever et quitter l'établissement sans se retourner. Il n'aurait pas dû lui parler comme ça. C'est les nouvelles qui le mettent dans cet état-là. Il n'a pas la télévision chez lui, il ne les regarde jamais d'habitude. Mais c'était là, presque à chaque pause pendant la partie de hockey. Le monde entier a les yeux rivés sur la fusillade qui a eu lieu le matin même. Encore une autre. Ils en parlent sans arrêt. La planète au complet s'abreuve de ce malheur comme du dernier téléroman à la mode. On analyse. On tente de comprendre. On nous rejoue les mêmes images, toutes les heures.

Puis les flashs reviennent, en quelques secondes. Le sang. Tout ce sang par terre. La peur égoïste que ce soit le sien. Le malade qui lui ordonne de fermer sa gueule, qui le regarde de haut, les yeux exorbités, qui hurle : « Pourquoi ? Pourquoi ? » L'horreur. Il déteste ces journées-là. Ce sont les pires.

Hier, il est allé voir le médecin, celui que la madame de l'école lui avait recommandé au CLSC. Il déteste se rendre là-bas. L'odeur d'éther de la clinique lui donne des sueurs froides, conséquences directes d'un séjour à l'hôpital alors qu'il était petit, un traumatisme d'enfance enfoui qui remonte au grand jour chaque fois qu'il doit mettre les pieds dans une clinique.

— Écoute, je peux pas juste te prescrire des antidépresseurs comme ça ! Il faut que tu parles. Que tu chemines. Chaque fois, tu viens, tu t'assois, tu dis rien. C'est pas comme ça que tu vas aller mieux, t'sais.

L'ancien *lui* aurait pété un plomb. Mais il n'en a plus la force. Cependant, il sait que sans les pilules, les choses se mettront à aller mal de nouveau. L'insomnie, les crises de panique, la colère. Il a essayé, une fois, d'arrêter de les prendre. Plus jamais il ne veut revivre ça. Il s'accroche aux cachets comme il s'accroche à l'alcool et au sexe. C'est tout ce qui lui permet de passer à travers ses journées.

Il a dit ce que le docteur avait besoin d'entendre, les mêmes conneries que d'habitude. Tout ce qu'il voulait, c'était son ordonnance. Personne ne peut l'aider. Parce que personne ne peut comprendre.

Il s'est rendu, une fois, au groupe de soutien qu'avait organisé l'école après les événements. Ça l'a mis tellement en rogne qu'il n'y est resté qu'une quinzaine de minutes. En fait, on l'a sommé de sortir lorsqu'il s'est mis à crier après les jeunes rassemblés dans le local. Il n'a pas pu s'en empêcher. Les voir, eux, pleurnicher comme des enfants parce qu'ils avaient eu peur des coups de feu. Ils avaient pensé que c'était la fin. Lui, il avait tout vécu de près. Il avait vu ses amis humiliés, mutilés, terrifiés. Il avait été pris en otage expressément, victime de la rage d'un vaurien qui n'avait été capable de se défendre que par les armes. Un pissou.

Personne n'a osé l'approcher après. Même là, dans ce bar, il est seul. Ils savent qui il est. Ils l'ont tous vu aux nouvelles de fin de soirée cette journée-là. Personne n'aime les victimes. On préfère les policiers héroïques qui sont venus les secourir. Pourquoi, après tout, accorderait-on de l'importance à celui qui a mouillé son pantalon en proie à la panique ?

Il peut encore sentir le regard méprisant de son beau-père, assis au bout de la table de la salle à manger. Ses mots puants, sa voix râpeuse, la bouche à moitié pleine. *Coudonc, Marie, comment tu l'as élevé, ton gars ? Une vraie moumoune, ciboire ! Moé, je l'aurais désarmé tout d'suite, c'te fou-là ! T'es-tu un homme, asti, ou ben une tapette ?*

En temps normal, il aurait répliqué. Une claque. Un coup. Une insulte. N'importe quoi pour continuer de polir sa coquille, de la rendre impénétrable. Il savait prendre les coups. Il savait surtout les donner. Mais cette fois-là, il n'a rien dit. Quelque chose avait changé. C'était comme si, pour la première fois, il l'avait cru. Il a simplement baissé la tête et il a encaissé l'insulte. Ce devait être la vérité. Il ne devait pas être à la hauteur. *Une vraie moumoune.* C'est ce qu'il était.

C'est à ce moment-là qu'il a compris qu'il n'avait plus sa place chez lui. Que s'il ne fuyait pas, il ne survivrait pas. Pire. Il deviendrait complètement fou.

Il regarde sa pinte qui est à moitié vide. Il arrive à peine à faire le point. Ça commence à tourner autour de lui. Il faudrait qu'il retrouve Rania. Qu'il se fonde en excuses. Il n'a pas envie de dormir seul ce soir. Il n'a pas envie de se réveiller seul demain. Il trouve son téléphone cellulaire au fond de son manteau. Un nouveau message. C'est Zachary. Il avait presque oublié qu'il avait finalement eu le courage de lui écrire, le matin même. Rien de dramatique. Juste quelques phrases pour enterrer la hache de guerre.

Le texto est limpide.

Tes excuses sont trois ans en retard.
Tiens-toi loin de moi.
Tiens-toi loin de lui.

Je ferme les yeux pour mieux
savourer le moment.
Je connais cette haine-là. Je la comprends.
Je marche dans tes souliers maintenant,
crisse de cave!

Geneviève est incapable de détourner les yeux de son écran de télévision. Assise sur un tabouret de sa cuisine, elle fixe l'appareil accroché au mur en serrant son bol de céréales contre elle. Elle a perdu l'appétit, mais elle n'arrive pas à bouger, à déposer le restant de son déjeuner sur le comptoir. Les images qui défilent sur toutes les chaînes semblent irréelles, comme si elle regardait un film. Un drame.

L'horreur.

Elle a l'impression que le monde tourne mal. Que la société telle qu'elle la connaît est en train de s'écrouler devant l'objectif des caméras de télé. Rien ne sera plus pareil, maintenant. Elle le sent. Ce jour marquera le début d'une nouvelle ère dont elle espérait ne jamais être témoin. Le genre d'événement qui marque, qui laisse des traces. Des cicatrices invisibles sur son cœur déjà trop écorché.

Depuis deux jours, un nombre record d'appels à la bombe a été signalé aux autorités. Chacun d'eux visait une école secondaire aux quatre coins de la province. Des milliers d'élèves ont été évacués et retournés chez eux alors que les policiers locaux, épaulés par la Gendarmerie royale, fouillaient les moindres recoins des établissements scolaires. Un coup monté, revendiqué en masse sur des vidéos publiées sur internet, par une horde de jeunes adolescents et adolescentes masqués. Une révolution, clamaient-ils tous. Un appel à la mobilisation contre les injustices.

La plupart des spécialistes invités dans les bulletins de nouvelles prônaient le calme. Il ne s'agissait, selon eux, que d'un appel à l'aide des jeunes de la province afin de conscientiser la population à la problématique de la violence dans les cours d'école et sur les médias sociaux. Aucune raison de s'inquiéter, rappelaient-ils sans arrêt. Juste un feu de paille.

Ce matin, à l'heure où Geneviève se serait habituellement rendue à la polyvalente pour travailler, si elle n'avait pas été en congé sabbatique, l'impensable a fait mentir tous les chroniqueurs. Trois jeunes. À quelques minutes d'intervalle. Trois tueurs ignobles. Une fusillade sanguinaire exécutée dans la polyvalente qu'ils fréquentaient. Trois visages floutés par les grandes chaînes, escortés par des agents, les menottes aux poings. Selon des témoins, les trois tireurs se sont rendus de leur plein gré aux policiers en scandant un prénom.

Son prénom à *lui*, rendu public de façon incontrôlable via les médias sociaux.

Lui.

Geneviève se débarrasse de son bol d'un geste brusque. Elle se précipite vers la poubelle à laquelle elle s'accroche pour vomir tout ce qu'elle vient d'avaler. Ce qu'elle a avalé la veille aussi. Ça s'échappe de sa bouche sans qu'elle puisse rien y faire. Elle évacue physiquement ce qu'elle voudrait pouvoir sortir de ses tripes. Une impression de déjà-vu. Le sentiment d'avoir été inadéquate. Une culpabilité irrationnelle qu'elle traîne depuis un peu plus de trois ans. Ça la réveille encore pendant la nuit.

C'est un prénom qu'elle ne pourra jamais entendre sans avoir envie de hurler de rage. Plus que son nom, c'est surtout son visage qui lui revenait en flashback. Ses yeux tristes. Un regard à fendre l'âme de n'importe qui, même le plus insensible des égoïstes. Elle en avait vu plusieurs, des adolescents comme celui-là, depuis qu'elle enseignait. Certains plus mémorables que d'autres. Plus percutants.

Lui, elle l'a encore au travers de la gorge, comme un chagrin qui refuse de s'estomper. Il n'y a rien de pire que de regarder un de ses élèves passer un mauvais quart d'heure. Elle le voyait errer dans les corridors de l'école, la tête basse, s'efforçant de se faire le plus petit possible. Elle peut encore entendre les railleries des autres à son sujet. Des insultes qu'elle-même n'oserait jamais dire à voix haute. Elle avait beau les réprimander chaque fois qu'elle les surprenait en flagrant délit, ils trouvaient toujours un moyen plus subtil de s'en prendre à lui. Une sournoiserie de plus en plus présente dans ses classes comme un virus se propageant d'une génération à l'autre, de plus en plus fort. De plus en plus virulent. De plus en plus sournois. C'était un fléau qu'elle observait avec impuissance, malgré toutes les conférences. Malgré toute la prévention. Si certains semblaient prendre conscience du mal causé par la méchanceté gratuite en faisant un effort d'acceptation, l'effet contraire se produisait chez les intimidateurs. Ils avaient l'air d'interpréter ces avertissements comme un défi.

Geneviève s'en voulait de ne pas avoir su en faire davantage. Elle aurait dû être plus stricte, peut-être. Punir plus rigoureusement les détracteurs. Exiger leur renvoi. Elle aurait dû essayer. Si seulement elle s'était rendu compte de l'ampleur de la situation, si elle avait su lire les signes. Il devait y en avoir eu. Si elle avait pris sa défense au lieu de lui reprocher de s'être défendu, de s'être enfin tenu debout face à leur mépris… peut-être qu'il n'aurait pas commis ce geste horrible. Il n'y aurait pas eu de mort. Ni de terreur. Ni de vies gâchées.

Sa conjointe de l'époque a passé des heures, des jours, à la consoler et à tenter de la déculpabiliser. Elle répétait à Geneviève qu'elle était quelqu'un de bien, une bonne enseignante. Que rien de tout cela n'était de sa faute. Elle a fait ce qu'elle croyait juste. Elle ne pouvait pas être responsable de tous les gestes posés par ses élèves. C'était inconcevable. Mais toujours, inlassablement, le visage de cet élève revenait la hanter. La manière qu'il avait eue de la regarder avec le poids de son mal-être… L'avait-il suppliée silencieusement de lui venir en aide, sans qu'elle le voie ? Aurait-elle pu y déceler l'étincelle du drame qu'il allait engendrer ?

Geneviève retourne s'asseoir sur le tabouret, un goût amer à la bouche. Elle fixe le téléviseur sans être capable de focaliser son regard sur les images qu'il lui renvoie. Elle ne fait qu'entrevoir les montages dynamiques que le réseau fait jouer en boucle. Elle se répète le nom à voix basse telle une prière, en espérant de tout son être qu'il ne soit pas témoin de ça. Qu'il ne soit pas jugé responsable.

En espérant que lui, au moins, s'en soit sorti.

Lui. Tous les matins, il se lève tôt. Il voudrait se prélasser des heures dans son lit, faire la grasse matinée, comme quand il était petit. Dormir des heures, des journées entières, en se foutant du jour, de la nuit. En se foutant de l'opinion de ses parents. Mais ses années au centre l'ont conditionné à se réveiller toujours à la même heure. Même s'il est libre, il demeure prisonnier de ses habitudes.

Chaque semaine, chaque jour, c'est la même routine. Il prend une douche. Le plus longtemps possible. C'est un luxe qu'il se permet, qu'il savoure. Ensuite, à travers la buée qui recouvre le miroir de sa salle de bain, il se rase minutieusement, découpant et entretenant la barbe qu'il arbore désormais fièrement. Il a l'impression que celle-ci le transforme suffisamment pour qu'il ne soit pas reconnaissable. Depuis que sa photo s'est mise à circuler sur internet, il se balade avec la sensation que tout le monde le montre du doigt. Même s'il n'a plus rien du gamin qui apparaît sur ce vieux portrait d'école, il préfère ne rien laisser au hasard. C'est pourquoi il ne sort jamais de chez lui sans sa casquette et ses verres fumés.

Avec l'argent que Travis lui a avancé, il s'est acheté quelques vêtements. Trois pantalons identiques de style militaire, couleur kaki. Cinq t-shirts noirs qu'il a dénichés pour un prix ridicule dans un magasin à grande surface. Deux camisoles. Une chemise à carreaux, grise et verte. Une veste de laine bleue, trouvée dans une friperie. L'essentiel. Le minimum. Juste assez pour éviter de revêtir les guenilles qu'il a supportées pendant deux ans et demi au centre. Juste assez pour se sentir comme un individu à part entière.

Il n'a pas pu résister à l'envie de se munir d'une paire de bottes. Elles ont amputé une bonne partie de son budget, mais en les enfilant, il a la sensation d'être enfin solidement ancré sur terre. L'odeur du cuir fraîchement verni. La façon dont les semelles se soudent à la plante de ses pieds. Le son mat qu'elles font à chacun de ses pas. Des bottes comme il en a toujours rêvé, qui imposent le respect. Qui le font sentir intouchable.

Une douzaine de minutes de marche, à peine, le séparent du terminus. Il y embarque dans l'autobus, chaque matin, à la même heure. Le départ express qui évite tout arrêt, qui file droit dans la voie réservée de l'autoroute qui le mène à toute allure vers le béton réconfortant de la métropole. Pendant tout le trajet, il observe les gratte-ciels fendre l'horizon au loin, s'allongeant de plus en plus vers les nuages au fur et à mesure que le bus se rapproche de sa destination.

En ville, parmi la foule, il se sent à l'abri. Une fourmi insipide et anonyme au milieu d'une immense fourmilière. Là-bas, personne ne regarde personne. Chacun vit dans l'indifférence la plus totale, en se partageant le territoire de façon mécanique, ordonnée et efficace. Il prend place dans le wagon du métro bondé, les mains dans les poches, sans se tenir aux poteaux graisseux et luisants que tout le monde agrippe sans cérémonie, y ajoutant ses propres fluides, ses propres germes. Il garde l'équilibre en fermant les yeux pour ne pas voir les autres. Pour ne pas savoir de qui proviennent les odeurs et les parfums qui embaument l'air de la voiture. Pour se fondre dans la masse hétéroclite des travailleurs, des étudiants et des touristes qui l'entourent.

Après deux correspondances, il débarque à son arrêt habituel que la voix féminine lui murmure dans les haut-parleurs, comme une confidence. L'annonce d'une bonne nouvelle, juste pour lui. Il aime se tenir immobile dans l'escalier roulant, pendant que les briques brunes et orangées défilent de chaque côté. Quelque part entre le quai et la sortie, au moment où le mécanisme l'élève au niveau de la rue, quand la lumière du jour semble inonder la station, il ressent toujours un chatouillement apaisant au creux du ventre, comme s'il était en apesanteur dans un manège. Il émerge des antres de la ville vers un endroit où jamais personne n'a entendu parler de lui. Il peut y être n'importe qui et se balader sereinement sur le trottoir qu'il commence à apprivoiser. Plus il s'y rend, et plus il s'y sent bien. C'est un petit coin de quartier avec des airs familiers. Ça vaut le trajet. Ça vaut le temps perdu.

C'est le centre qui l'avait mis en contact avec les propriétaires du bistro local. Les trois femmes l'ont rencontré autour d'un café, quelques jours après sa sortie, afin d'évaluer si le courant passait entre eux. Il a dû surmonter la timidité débordante qui s'était propagée en lui en s'assoyant devant elles. Jamais n'a-t-il été aussi nerveux que cette fois-là, où il a réalisé que pour la première fois, il se retrouvait en présence de personnes étrangères qui *savaient* d'où il venait. Ce qu'il était. Elles n'ont pourtant pas eu l'air d'en être incommodées. Elles lui ont exposé les grandes lignes du boulot qu'il aurait à effectuer, en souriant sincèrement. Après s'être entendues avec lui sur l'horaire qu'il devrait respecter, sur le salaire qu'il toucherait chaque semaine et sur les conditions de son embauche, l'une d'elles, Andrée, qu'elle s'appelle, lui a fait visité les lieux. Elle lui a tout expliqué en détail en le regardant droit dans les yeux. Avec ses cheveux blonds remontés en chignon, son regard perçant et sa voix perchée, Andrée s'est montrée convaincante et enthousiaste face à lui. Chaque fois qu'elle lançait une remarque sarcastique, elle ricanait en lui caressant l'épaule de façon amicale, presque maternelle. Il l'a suivie, incrédule. Un peu ébranlé par la tournure que prenait sa journée. Il leur a serré fermement la main avant de quitter l'endroit, en les remerciant de lui offrir cette chance. Pour la confiance qu'elles lui accordaient sans le connaître.

Cinq jours sur sept, il se rend au petit restaurant de quartier, à l'autre bout de la ville, à l'autre bout de chez lui, le plus loin possible de sa réalité. De son passé. Rapidement, il a assimilé ses tâches, devenant une machine à laver la vaisselle d'une efficacité surprenante, au grand bonheur des trois proprios qui s'exclament toujours devant le travail qu'il accomplit. Elles l'encouragent de vive voix, courant d'un côté et de l'autre durant les moments d'achalandage et le récompensent joyeusement en lui refilant les plats cuisinés par erreur. Après l'heure du lunch, une fois son poste de travail propre et étincelant, il dispose d'un laps de trois heures avant son deuxième quart de travail, pour le service du soir.

Lorsque le temps le permet, il se rend au parc, situé non loin de là, à mi-chemin entre le métro et le restaurant. Armé d'un grand gobelet de café qu'il se procure pour une poignée de change au comptoir du coin, il s'installe sur le banc, près de la fontaine, coupé du monde par la musique que crachent les écouteurs de son lecteur MP3. Il essaie d'écrire, parfois, de noircir les pages de son cahier comme il l'a fait si souvent au centre. Mais la plupart du temps, il n'y arrive pas. Sophie, celle qui lui a enseigné pendant les deux dernières années, croyait que, s'il y mettait suffisamment d'efforts, il réussirait sans doute à publier. Ensemble, ils ont tenté de mettre en ordre tous ses écrits pour en faire un manuscrit respectable. Elle l'a encouragé à le soumettre à quelques maisons d'édition reconnues, mais il se désiste à chaque fois. *Personne ne voudra lire ça*, se dit-il. Il y avait cru sur le coup. Cependant, depuis sa sortie du centre, les choses ont changé. La réalité est différente. Ses rêves sont plus gris qu'avant.

Alors au lieu d'écrire, il lit les romans qu'il achète à la bouquinerie du quartier en les sélectionnant avec soin en fonction de leur coût, le moins cher possible. C'est le moment de la journée qu'il chérit le plus, parmi tous les autres. Ça le ramène loin dans ses souvenirs, ravivant la sensation de pure euphorie qu'il avait ressentie, dans son ancienne vie, lorsqu'il manquait délibérément l'école pour aller flâner sur le bord de l'étang. Il a vécu de grands moments de lecture à cet endroit-là, sous le grand arbre. Il y est tombé amoureux pour la première fois, à travers le nuage hypnotique de la marijuana qu'il venait de découvrir. Un souvenir heureux. Un des seuls. Le visage radieux de Maeva. Le fou rire qui l'a pris sans crier gare, effaçant, l'espace d'un bref instant, sa morne réalité. Il a été tellement naïf. Tellement stupide. Il a peine à croire qu'il a déjà été ainsi, qu'un lien existe entre le garçon renfermé de sa mémoire et celui qu'il incarne maintenant. Beaucoup d'eau a coulé sous les ponts depuis ce temps, emportant son innocence avec le courant. Cet autre *lui* n'est désormais plus qu'un vague arrière-goût amer au fond de sa gorge. Le vestige d'une vie qui s'est terminée abruptement le jour où il a pris la justice entre ses mains… le jour où sa rage a finalement éclipsé tout ce qui lui restait de lucidité pour le posséder, corps et âme.

Quand il y pense, il ne ressent rien. Ça s'est détaché de lui, comme un rêve flou.

Lorsque l'alarme de son téléphone retentit, celui que Travis lui a gracieusement offert en prétextant qu'il s'agissait d'un vieux modèle, il sait qu'il ne lui reste que dix minutes pour retourner au bistro afin d'entamer la deuxième partie de sa journée de travail.

Durant des heures, il exécute les mêmes gestes robotiques, dans un état de transe. Pendant que les cuisiniers s'affairent à leurs tâches dans une chaîne méthodique et bruyante, au son de la radio qui crache ses tubes à la mode, pendant que les employés au service se déplacent à toute vitesse en frôlant à peine le linoléum, tenant à bout de bras leurs plateaux débordant de plats fumants, lui, il ordonne sa machinerie en silence, savourant le chaos qui l'entoure. Il se sent furieusement vivant à travers les vapeurs de produits nettoyants qui s'échappent par l'ouverture de sa machine, malgré la sueur qui semble recouvrir tout son corps et qui fusionne sa camisole imbibée à son torse. Il se sent à sa place.

Cette routine a quelque chose de réconfortant. Il n'a pas le temps de rêvasser, de songer aux inscriptions tardives pour le cégep qui arrivent à échéance. Lui qui s'est projeté tant de fois dans un avenir où il se retrouverait à nouveau parmi ses semblables, sur les bancs d'école, entrevoit désormais la vie scolaire avec angoisse. Il est incapable de s'imaginer une autre réalité que la sienne. Incapable d'envisager ce qu'il a envie de faire du reste de sa vie. Il s'est si souvent résigné à croire que la mort était sa seule issue que d'appréhender la vieillesse le laisse déconcerté.

À la fin de son quart, il enlève son tablier, sa chemise et sa camisole. Il laisse le jet du robinet couler sur sa tête et son cou pour décrasser la peau de son visage. Il enfile un chandail propre avant de revêtir sa veste et de cacher sa coupe de cheveux horrible sous sa casquette. Il salue ses collègues timidement puis amorce le chemin du retour, en traversant le parc jusqu'à la station de métro, pour revivre à reculons son itinéraire du matin.

Ça pourrait être pire.

Il a toujours cru qu'on pouvait s'habituer à tout. Même au pire. Qu'avec le temps, le marasme finirait par s'estomper. C'est vicieux, une libération… Cette pensée s'immisce sournoisement en lui comme une drogue qui se répandrait dans ses veines. Il tient effrontément les rênes de sa vie en ne réalisant pas qu'il se dirige tout droit vers le néant, que l'assurance qu'il ressent est fausse. À partir du moment où il a cessé de couvrir ses arrières, il s'est laissé prendre au jeu. À défaut de raser les murs, il avance désormais comme un kamikaze endoctriné par l'espoir.

Un soir, alors qu'il descendait de l'autobus qui le ramenait dans la banlieue où résident toujours ses parents, son téléphone s'est mis à vibrer dans les poches de sa veste. Un message de Travis. *Yo. J'ai ton stock.* Il a regardé l'écran en tentant de contenir son excitation. Il ne sait pas encore ce qu'il en fera, mais le seul fait de savoir que Travis ne l'a pas oublié l'enivre. Il sent ses entrailles s'embraser.

Il a hésité longtemps avant de reprendre contact avec Travis, qu'il avait côtoyé au centre. Celui-ci l'avait toujours tenu en haute estime lors de son passage obligé parmi eux, déclarant, à qui voulait bien l'entendre, qu'il était *the shit*. Lui, il a subtilement noté la promesse de Travis dans un de ses carnets, par habitude, certes, mais aussi dans l'éventualité où il n'aurait d'autre choix que de faire appel à lui. Malgré la mise en garde qu'on lui avait faite avant sa sortie, d'éviter de frayer avec d'anciens résidants du centre, il a décidé d'écouter son instinct. Peu importe l'opinion des autres. Il en avait besoin.

Travis ne l'a pas jugé. Il n'a pas posé de questions. Il s'est contenté de lui obtenir ce qu'il demandait en l'assurant qu'il le joindrait dès qu'il recevrait ce qu'il n'avait pas sous la main.

Il ne s'est senti véritablement en sécurité qu'à partir de ce moment-là.

Dès l'instant précis où il a senti le poids du revolver au fond de son sac.

Plus jamais, a-t-il pensé.

Plus jamais.

Je ne devrais pas être là.
Lui non plus.
Nous sommes condamnés.

— Calmez-vous, madame.

Se calmer. Elle en est incapable. Comment peut-il oser lui ordonner une chose pareille ? Elle le dévisage, enragée, prise entre l'envie de le gifler furieusement et celle d'éclater en sanglots. Elle se convainc d'agir de façon raisonnable, de se ménager afin de ne pas leur apparaître comme une hystérique. Elle porte le verre d'eau d'une main tremblante jusqu'à ses lèvres, ravalant l'obus qui menace d'exploser dans sa gorge.

Le policier lui demande de tout recommencer du début, encore une fois, pendant que sa partenaire arpente les pièces de la maison avec méfiance. Elle peut ressentir le mépris et le jugement qui transparaissent à travers le regard de la policière lorsqu'elle pose ses yeux sur elle. Elle a l'impression d'être une parfaite idiote de les avoir appelés. Si son mari avait été là, il aurait su comment réagir. Il l'aurait apaisée. Mais il faut bien qu'il travaille pour subvenir à leurs besoins. Non seulement leur revenu a diminué depuis qu'elle a été mise à l'arrêt par son médecin, mais ils ont une troisième bouche à nourrir maintenant que leur fils est revenu.

Assise à la table de cuisine, elle raconte tout à l'agent qui se tient droit debout devant elle, les deux mains posées sur sa ceinture. Il l'écoute avec attention, les sourcils froncés, l'air grave.

Elle a passé sa journée seule, comme d'habitude. Son fils s'est trouvé un petit boulot en ville et quitte la maison tôt le matin. Après avoir accompli son ménage de la journée et mis son rôti au four, en prévision du souper, elle s'est fait un thé avant de s'installer dans le salon pour regarder son programme habituel, un téléroman américain doublé en français qu'elle suit assidûment depuis qu'elle a cessé de travailler. Elle s'est attachée aux personnages plus grands que nature, à leurs drames et leurs révélations chocs. C'est son plaisir coupable. Un instant juste à elle qui la sort de sa léthargie durant une petite heure, au milieu de l'après-midi. Ça lui rappelle les émissions que suivait sa propre mère, qui pouvait abandonner toutes ses tâches ménagères afin de ne pas les louper.

Elle était là, assise tranquillement sur le sofa, submergée par la tragédie que vivait Cassiopée sur le petit écran, lorsqu'elle a entendu le fracas dans la pièce adjacente. Elle a cru mourir d'effroi sur le coup. Elle s'est précipitée vers la cuisine pour constater qu'on venait de lancer un projectile à travers la fenêtre. Une pierre de la grosseur de son poing, marquée grossièrement d'un X rouge, gisait au milieu du plancher parmi les éclats de verre.

Saisie par la colère, elle s'est élancée vers la porte d'entrée, sans même y penser. En voyant les deux individus s'enfuir en courant, elle a eu l'instinct de les poursuivre, le poing dans les airs en leur criant des bêtises. Elle a bien vu qu'ils étaient déjà trop loin, qu'elle n'arriverait pas à les rattraper, même en courant de toutes ses forces. Irritée de ne pas avoir vu leur visage ni remarqué comment ils étaient habillés, elle allait se résigner à retourner à l'intérieur pour ramasser le gâchis dans la cuisine et appeler immédiatement son mari au travail lorsqu'elle a vu.

Sur la porte du garage, d'énormes lettres dégoulinantes avaient été pulvérisées à l'aide d'une bombe aérosol de couleur rouge vif. *ICI VIT UN TUEUR*, pouvait-on déchiffrer. Une flèche avait également été peinte au-dessus du graffiti, pointant vers le haut, vers la fenêtre de sa chambre.

Le sol a semblé s'ouvrir sous ses pieds. Elle est restée là, pétrifiée, à encaisser le choc terrible qui venait de la frapper de plein fouet. Prise de vertige, elle a posé une main sur sa bouche pour enrayer le haut-le-cœur lancinant qui la tenaillait soudainement. La voisine, Madeleine, habitant la maison juste en biais de la sienne, qui avait tout vu à travers la fenêtre de son salon, est arrivée derrière elle au pas de course, juste à temps pour l'empêcher de s'écrouler par terre. C'est Madeleine qui a composé le 911. C'est Madeleine qui est demeurée auprès d'elle jusqu'à tant que l'auto-patrouille se gare devant la maison. C'est Madeleine qui pourrait sans doute leur livrer une description des deux garnements qui venaient de vandaliser sa maison, les deux monstres qui avaient décidé d'exposer son fils au grand jour.

Elle est terrifiée.

Le policier lui dit qu'il a tout noté, de ne pas s'inquiéter. Il s'agit sûrement d'un événement isolé, il en voit des tonnes comme celui-là. Juste des enfants qui s'amusent. Elle essaie de leur faire réaliser qu'ils ne comprennent pas l'ampleur du geste. Ses conséquences. Maintenant, tout le quartier va savoir ce qu'elle a réussi à passer sous silence depuis ce jour-là, la journée maudite où son fils est devenu fou. La policière tire une chaise et prend place à côté d'elle. Elle dépose ses mains sur les siennes et penche la tête pour lui parler d'une voix douce, comme si elle tentait de rassurer une personne démente.

— On peut rien faire de plus, madame. On va mettre votre adresse dans notre système pour que les patrouilleurs passent plus souvent sur la rue.

— Franchement! Me prenez-vous pour une demeurée? Ça les empêchera pas de r'venir!

Asteure que tout le voisinage sait que mon gars est revenu, c'est rien qu'une question de temps avant que…

— Madame. Madame ! Calmez-vous, là. On va vous donner le nom d'une compagnie qui s'occupe d'effacer les graffitis comme ça. Si vous les appelez tout de suite, je suis certaine que d'ici demain, pus personne va s'en rappeler.

Elle entend une portière de voiture. C'est son mari qui vient de se stationner dans l'entrée. Lorsqu'il apparaît dans le cadre de la porte, elle se rue vers lui en pleurs, laissant enfin sortir la douleur qui lui ronge l'intérieur. Elle s'abandonne dans ses bras en sanglotant devant les mines défaites des deux agents de police. Il lui frotte le dos en chuchotant que tout va être correct, qu'il est là, que ce n'est rien.

— Comment ils ont su ? répète-t-elle entre deux hoquets. Comment ils ont su qu'il était sorti ? Qu'il habitait ici ?

Il voudrait trouver les mots justes pour lui répondre. Lui expliquer ce qu'il sait, ce que les gens rapportent au bureau, les rumeurs et les photos de leur fils qui circulent sur internet. Il avait réussi à la protéger de tout ça, depuis le début.

Il avait réussi. Jusqu'à maintenant.

L'autre pousse la porte de son logement avec son pied en essayant de ne pas échapper la boîte de carton qu'il tient dans ses mains et qui l'empêche de voir devant. Il entre en titubant, laissant tomber son fardeau sur la table basse qu'il a installée devant le divan, dans l'entrée de l'appartement, en guise de salon. Sachant que le bloc est mal insonorisé, il s'évertue à ne pas faire de bruit afin de ne pas subir, une nouvelle fois, les protestations des voisins. Il craint surtout que monsieur Bergeron, le concierge de l'immeuble, ne s'aperçoive de sa présence et n'en profite pour venir lui quémander le chèque du loyer qu'il n'a pas les moyens de payer.

Il est assoiffé. Il ouvre la porte du frigo en s'appuyant dessus. Ses jambes sont molles, il arrive à peine à se tenir debout. Sur la tablette du centre, il attrape la pinte de lait et, après l'avoir secouée pour sentir son contenu, entreprend de la vider goulûment à même le carton. Il n'essuie pas le filet blanc qui coule le long de son menton pour finir sur le col de son chandail. Il n'en est même pas conscient.

Son dos trouve le muret derrière lui et il se laisse aussitôt glisser par terre. Il a l'impression que son appartement se balance d'un côté et de l'autre, sa vue se brouille. Il se maudit de ne pas avoir su s'arrêter de boire, encore une fois. Mais la barmaid du nouveau bar qu'il fréquente depuis une semaine l'aime bien et il ne peut pas lui résister lorsqu'elle lui offre une tournée de shooters sur son bras. Il a bien essayé de la ramener à l'appartement pour lui montrer à quel point elle l'aimerait encore plus sans ses vêtements, mais elle a repoussé ses avances en prétextant qu'elle avait déjà un chum et que de toute façon, elle ne couchait pas avec les clients, surtout pas avec ceux qui n'ont jamais voté de leur vie. Après lui avoir énuméré une liste de surnoms vulgaires, le portier l'a raccompagné jusqu'à l'extérieur du bar en jappant qu'il n'était, à l'avenir, plus le bienvenu.

Il a marché en zigzaguant dans la rue. Une éternité pour se rendre chez lui, à l'opposé de la carte. S'il continue ainsi, il sera bientôt interdit d'accès à la totalité des établissements de la ville, à part le bar de danseuses, qui continue d'accepter son argent sans cérémonie. Mais il n'aime pas entrer là. L'alcool coûte le triple du prix, comparativement aux autres endroits, et la place grouille de messieurs louches d'un certain âge. D'autant qu'il n'aime pas devoir payer pour toucher les filles qui, de toute façon, refusent toujours d'aller plus loin que ses caresses.

Dans l'entrée de son bloc, sous l'éclairage du néon qui grésille de plus en plus chaque soir, il a trouvé la boîte avec son nom écrit au crayon-feutre. Rania lui avait dit, sur sa messagerie vocale, qu'elle passerait lui porter ses affaires. Elle l'a texté deux fois dans la journée pendant qu'il travaillait à l'entrepôt. Il avait cru à tort qu'en l'ignorant, elle reculerait.

Il n'ouvrira pas la boîte. Chaque objet qu'elle contient lui rappellerait celle qui a rompu avec lui, au bout d'un long ultimatum qu'il n'a pas respecté. Rania était excédée par son comportement. C'était assez. Elle ne supportait plus de le voir rentrer ivre mort plusieurs fois par semaine. Elle l'aime, a-t-elle dit, mais elle veut davantage que ce qu'il a à lui offrir.

Affalé par terre, la tête lourde, il arrive à saisir son téléphone. Difficilement, il compose un message à Rania, pour lui dire qu'il a compris. Qu'elle a gagné. Que cette boîte vient d'effacer son numéro de téléphone de ses contacts. Il fixe le message péniblement avant de changer d'avis.

Il parcourt l'historique de ses textos pour remonter plus loin. Il sélectionne un de ceux auxquels il n'a jamais donné suite. *C'était le fun, hier soir. On se revoit ? xxx.* Il cherche le nom de la fille dans sa tête, sans résultat. La seule chose qu'il a indiquée comme contact est le mot *Toutoune*. Un grognement s'échappe de sa bouche alors qu'il rédige maladroitement son invitation à *Toutoune* de venir le rejoindre chez lui, qu'il a envie d'elle. Il appuie sur la flèche pour envoyer sa requête, mais la petite icône d'enveloppe reste en suspens. Il essaie de nouveau. Rien. Il réalise que son appareil n'arrive pas à trouver le réseau. Sa ligne a été désactivée.

Sa main percute le sol à côté de lui, faisant voler son téléphone à l'autre bout de la petite cuisine. Il s'abandonne à l'ivresse et laisse tomber sa tête par en arrière, sur le mur froid. Quelque part entre sa nausée et son envie de se masturber, il se laisse aspirer par les ténèbres et sombre rapidement dans un sommeil comateux.

C'est une voix familière qui le tire de l'inconscience, un écho qui semble lui parvenir de très loin. Par la seule fenêtre de son appartement, la lumière bleutée du jour inonde les lieux de manière intransigeante et cruelle.

— Ben voyons donc, tabarnak ! Tu t'es pissé dessus, osti ! Ben envoye ! Réveille !

C'est sa mère qui peste en lui assénant des coups de pied sur la cuisse.

Sa mère.

Il émerge du coma en sursautant. La panique lui donne l'impression de ne plus savoir respirer. Il aspire une grande bouffée d'air qui le propulse subitement debout. Désorienté, il s'agrippe au comptoir pour ne pas perdre l'équilibre. Lorsque la voix de sa mère résonne à nouveau, le son s'enfonce dans son oreille et percute son cerveau. Il se tord de douleur. On dirait que son crâne est en train de se fendre en deux, que sa matière grise est en ébullition et cherche désespérément à lui éclater la tête. Son torse se soulève en un spasme violent. Il a à peine le temps de réaliser ce qui lui arrive qu'il se retrouve penché au-dessus de l'évier en train de vomir ce qui lui reste d'alcool dans le corps.

— R'garde-toé donc, ciboère! C'est ça que tu voulais? C'est de même que tu veux vivre, hein? Dans ta marde! J'peux pas croire… Un bon à rien, comme ton père, osti!

Il serre les poings et frappe sauvagement les deux côtés de l'évier en retenant le hoquet qui secoue son œsophage. Sa mère se tait et fait un saut à reculons. Elle s'allume une cigarette pendant qu'il ingurgite verre d'eau par-dessus verre d'eau, laissant couler le robinet pour diluer le vomi qui couvre le fond de l'évier.

Il passe en trombe à côté d'elle sans la regarder. En temps normal, il lui gueulerait son mécontentement à pleins poumons, mais il n'en a pas la force. Toute sa concentration est dissipée par la migraine carabinée qui gagne ses tempes. En se dirigeant vers le coin de l'appartement qui fait office de chambre, il retire ses vêtements souillés brusquement et les balance en tas dans un coin. Il attrape un caleçon au hasard parmi le fatras qui traîne autour de son lit et l'enfile avant de retourner vers sa mère.

— Qu'est-ce tu veux? crache-t-il dans sa direction.

— J'ai essayé de te r'joindre toute l'avant-midi, mais ça disait que ton numéro était pus en service! Je m'inquiétais, t'sais, fait que chus venue. Ta porte était même pas fermée comme du monde!

— T'as pas d'affaire à entrer chez nous, de même, OK?

— C'est toujours ben pas de ma faute à moé si t'as pus d'téléphone! J'étais censée faire quoi, moé, quand ta job a appelé chez nous à matin? Hein? Y s'inquiétaient, eux autres avec, quand y t'ont pas vu rentrer! Y ont même dit que c'tait pas la première fois que tu t'présentais pas su'a job, pis ça, c'est quand tu rentrais pas à moitié saoul de la veille! Fait que laisse faire de me chier d'ssus pis arrange-toé donc pour les appeler avant qu'y te sacrent dehors!

— Sors. SORS!

Il indique la porte de son appartement en l'assassinant du regard. Elle prend une bouffée de sa cigarette avant de l'insérer dans une des bouteilles de bière vides qui traînent sur la table basse, éparpillées autour de la boîte de Rania. Il sait qu'elle a envie de rajouter quelque chose, sa mère a toujours ressenti le besoin d'avoir le dernier mot, mais il continue de lui montrer la porte avec insistance. Elle rajuste la bandoulière de son sac à main sur son épaule et quitte le logement stoïquement, à pas lourds.

Il se laisse tomber sur le matelas à plat ventre en enfonçant son visage dans l'oreiller. Il y mord de toutes ses forces pour étouffer le cri de haine qui sort de sa gorge. Il est plus qu'humilié. Il a honte. Il est dégoûté que sa mère l'ait vu ainsi, qu'elle soit témoin de la déchéance dans laquelle il se vautre, délibérément, avec l'ardeur d'un incurable. Les mots de Gabriel lui reviennent, comme si son ami venait le tourmenter jusqu'au fond de son baril. *T'es ben rendu fif, toi, crisse!* avait-il fulminé.

Il chavire tranquillement sur son dos. L'air est froid au contact de sa peau. Ça lui fait du bien. Il fixe le plafond sale au-dessus de son lit en se rejouant les attaques de Gabriel en pensée. Il est épuisé de se sentir lamentable. Ses amis, ceux qu'il lui reste, ont raison de le traiter d'incapable, de minable. Il voudrait retrouver l'insouciance de ses années d'adolescence. Retrouver une raison de se lever le matin, quelque chose qui le tiendrait en vie. Il a besoin d'un plan. De jeter son dévolu sur une autre obsession, n'importe quoi pourvu que ça le ranime. Il en a plein le cul de se traîner d'une journée à l'autre sans but précis, en s'apitoyant sur son sort.

Personne ne pourra jamais comprendre ce qu'il a vécu, ce jour-là, ni comment les semaines qui ont suivi furent les plus atroces de sa vie. Ce qui l'avait troublé le plus, c'est la grande paix qu'il avait ressentie face à sa mort imminente. Il avait accepté sa fin avec une telle facilité. Il se souvient avoir fermé les yeux, au moment où l'autre dirigeait son arme droit sur lui, pour empêcher son regard de plonger dans le sien, pour ne pas lui montrer qu'à l'intérieur, il le suppliait de l'abattre. Il avait fermé les yeux et accepté la mort… parce qu'il l'attendait depuis un moment déjà.

Pris d'un frisson, il tâte son lit pour saisir le drap usé avec lequel il recouvre son corps endolori. Il ne téléphonera pas à son patron. De toute façon, il ne retournera jamais travailler dans cet entrepôt merdique. Il trouvera un meilleur moyen de gagner de l'argent. C'est clair maintenant dans sa tête. Il n'en est pas encore conscient, mais, pendant qu'il se livre de nouveau au sommeil, quelque chose s'éveille en lui et tisse sa toile.

Comme une vieille amie qui renaît de ses cendres.

Un sentiment impétueux.

La rancune.

Ça allait me suivre toute ma vie.
J'avais été arrogant. Baveux.
Je voulais qu'il souffre. Qu'il paie.
Par pur égoïsme. Par pure vengeance.
J'en avais besoin.

Zachary fait aller ses doigts le long de la gouttière du livre, hypnotisé par le bruit que font les pages colorées en défilant à toute allure. Devant lui, éparpillés çà et là sur la table en bois, tous les guides que Daphné a empruntés à la bibliothèque. Quelques-uns lui ont été offerts par une amie qui n'en aura plus besoin. Elle en a même acheté deux ou trois à l'occasion de la vente trottoir qui vient d'avoir lieu, au centre commercial. Il les regarde, découragé. Il y en a trop.

La maison est silencieuse. Par la fenêtre ouverte, le vrombissement sourd du filtreur vient accompagner le chant des criquets. Dans le but d'éliminer la moindre source de chaleur possible, il a éteint presque tous les interrupteurs, sauf celui du ventilateur suspendu au-dessus de sa tête. Seule la lumière de la hotte de poêle éclaire faiblement la cuisine derrière lui, comme une veilleuse. Au milieu des plantes, près de la fenêtre, il a allumé l'ampoule sous l'abat-jour en bambou, un vestige de son enfance. Celle-ci répand un halo orangé autour de lui, faisant s'allonger sur les murs l'ombre du mobilier.

La chaleur est insupportable. Il est resté en maillot de bain en prenant soin de poser une serviette sur le banc avant de s'y asseoir. Il a l'impression que son short encore humide refroidit son corps lorsque la brise l'effleure. Il se serait mis complètement nu s'il n'avait pas eu peur que quelqu'un l'aperçoive à travers les baies vitrées qui s'élèvent face à lui. Il endure donc sa culotte en savourant chaque frisson que le courant d'air lui procure en faisant vibrer les poils de son torse. Il ne se préoccupe pas des gouttes qui tombent sur ses épaules de ses cheveux, qu'il a remontés en toque de façon désordonnée. Elles ne font que se mêler à celles de la sueur qui lui perle dans le dos.

Zach attrape la bouteille d'eau glacée et la dépose sur son front avant d'en tirer une gorgée. Il a la tête ailleurs depuis l'après-midi. Bien qu'il sache que sa mère a les meilleures intentions du monde, il n'en peut plus de ses remarques désobligeantes. Chaque fois qu'il essaie d'avoir une conversation posée avec elle, il finit par s'emporter. Leur engueulade de la journée lui laisse un goût amer, il n'arrive pas à s'en débarrasser. Sa mère désire régir sa vie sans qu'il ait son mot à dire et il refuse de la laisser lui dicter ses faits et gestes. Il est majeur, maintenant. Elle ne peut plus le contrôler. Il a poussé l'audace jusqu'à la menacer de quitter le nid familial pour de bon. Évidemment, elle n'a pas aimé ça. Si elle savait tout ce qu'il lui cache depuis des années, elle en tomberait sans doute raide morte. Son cœur ne le supporterait pas.

Il entend les pas feutrés de Daphné dans son dos. L'odeur enivrante du shampoing qu'elle utilise flotte jusqu'à lui avant qu'elle ne pose ses mains froides dans son cou. Il ferme les yeux en penchant sa tête vers l'arrière pour aller à la rencontre de son visage. Elle se cambre sur lui en souriant et l'embrasse délicatement sur le bout du nez, chatouillant son menton avec le bout de ses cheveux mouillés. Elle l'entoure de ses bras par-derrière et vient caresser son ventre du bout des doigts. Il a chaud, mais il se laisse faire. Il aime sentir le corps de Daphné contre lui. Ces derniers temps, rien ne l'apaise plus que se perdre dans l'odeur de sa blonde.

Il la regarde du coin de l'œil pendant qu'elle se rend à la cuisine sur la pointe des pieds. Elle ne porte qu'un vieux t-shirt qu'elle a dû trouver au fond d'un de ses tiroirs. Il est beaucoup trop ample pour elle et le col du chandail tombe sur le côté, dénudant une de ses épaules. Il la trouve belle. Il aime la façon qu'elle a de s'approprier ses vêtements au lieu de porter les siens.

Elle revient vers la table et s'installe face à lui en déposant un pot de crème glacée entre eux. Elle lui tend une cuillère en léchant celle qu'elle a déjà utilisée. Il décline d'un geste discret de la main. Elle l'interroge du regard en replongeant l'ustensile dans le pot.

— Qu'est-ce t'as ? T'as l'air songeur.

Zach hausse les épaules. Daphné sait tout de lui, il ne lui a jamais rien caché, et pourtant il n'arrive pas à trouver les mots pour lui expliquer ce qu'il ressent. Il ne fait que regarder tous ces guides de voyage et ça le met tout à l'envers.

C'est leur rêve depuis qu'ils se sont rencontrés, il y a un an. Ils ne parlent que de ça. Zachary a même annulé son inscription au cégep en prévision de ce voyage. Dès la fin de l'école, il s'est mis à travailler sept jours sur sept afin d'économiser le plus d'argent possible. Pendant qu'il s'éreintait à aménager les platebandes de la ville, beau temps, mauvais temps, il ne pensait qu'à ça, à l'automne où ils partiraient tous les deux pour faire le tour de l'Asie, un unique sac à dos comme bagage. Quand Daphné lui a annoncé qu'ils devaient retarder leur départ, il s'est montré compréhensif. Elle n'avait pas pu prévoir le divorce de ses parents ni à quel point cela chamboulerait sa vie. Zach a alors accepté le contrat de son patron et a continué de travailler à la pépinière jusqu'à l'hiver en continuant d'augmenter le solde de son compte bancaire. Entre-temps, Daphné a accepté un poste temporaire comme technicienne dans une salle de spectacle reconnue. Elle ne pouvait pas passer à côté de l'occasion de bosser dans le domaine auquel elle aspirait. Ils ont donc repoussé leur projet de nouveau et Zach s'est fait embaucher par la municipalité pour la saison hivernale.

Ils sont là. Tout près. Leurs billets d'avion sont achetés depuis des mois. Leur départ est imminent. Dans quelques semaines, ils vont atterrir à Bangkok. Ne reste plus qu'à prévoir un itinéraire approximatif afin de déterminer l'ordre idéal dans lequel ils iront d'un pays à l'autre. Mais Zachary est tout à coup saisi par un vague à l'âme.

— C'est lui qui te chicote, hein?

C'est lui.

— Comment tu veux que je lui dise ça, Daph? Ça va le crisser à terre. Y a personne d'autre! Pis au moment où il sort, je le l'abandonne pour m'en aller triper six mois en Asie… C'est *cheap* rare!

— Je comprends, t'sais. Mais Zach… tu peux pas passer à côté de ta vie juste pour pas lui faire de peine. Après tout ce que t'as fait pour lui.

Il lui a tout raconté. Seulement, il a omis quelques passages dont il avait honte. Il n'ose même pas se les avouer à lui-même. Un remords de conscience qu'il traîne depuis des années et qu'il n'arrive pas à se pardonner. Si au moins il avait su ce que son ami vivait. Ce qu'il endurait en silence sous la façade qu'il arborait. Zach aurait réagi. Il aurait essayé de l'aider. Il se serait rendu droit chez son cousin et l'aurait sommé d'arrêter de s'en prendre à lui. Mais il n'avait rien détecté. Ou peut-être n'avait-il rien voulu voir? Il avait beau brasser ses souvenirs, il n'arrivait pas à mettre la main dessus avec certitude. Tout ce qu'il savait, c'est qu'il avait négligé son ami au détriment de ses activités, de ses parties de soccer et de ses fins de semaine en camping. Il l'avait abandonné à lui-même, cet été-là, sans même s'en soucier. Sans s'en rendre compte.

Il n'a jamais oublié le regard chargé de haine que son ami lui a lancé, ce jour-là. C'était peut-être la première fois qu'il le voyait vraiment, où il avait osé baisser sa garde pour lui balancer tout son désarroi en plein visage. Maintes fois il a tenté d'aller le voir pour s'excuser, pour lui expliquer comment il avait vécu l'altercation entre lui et son cousin. Toutes les fois, il l'avait envoyé promener. Chaque fois qu'il repensait à sa fête de cette année-là, il voyait clairement à quel moment il aurait pu s'interposer ou ce qu'il aurait pu faire autrement afin de défendre son ami. Mais il ne pouvait pas remonter en arrière. Il avait fait ce qu'il avait fait, c'est-à-dire : rien. Il était resté figé sur place, trop ébranlé pour comprendre la situation. Trop bouleversé par la violence soudaine de son cousin pour sortir de sa torpeur. Il avait tout observé en spectateur comme dans un rêve. Il l'avait laissé se défendre tout seul, sans bouger, son ami transformé par l'acharnement. Ça lui avait coûté son meilleur ami.

Lorsqu'il a appris, par sa mère, que le petit voisin s'était ramassé à l'hôpital après avoir été sauvagement battu en rentrant de l'école, il a tout de suite compris qu'il était en partie responsable. Même dans son lit d'hôpital, il a refusé de lui adresser la parole. Zach était sous le choc. Ils avaient failli le tuer ! Ce n'était pas une petite bagarre de cour d'école qui l'avait mené à être hospitalisé. Ils l'avaient carrément massacré. Zach n'a plus jamais revu ni reparlé à son cousin à partir de ce jour-là. Il a tout déballé à sa mère qui, elle, à son tour, n'a rien fait. Elle a haussé les épaules en disant qu'elle n'était pas surprise, que ses neveux étaient aussi dérangés que sa sœur. Que la pomme ne tombe jamais loin de l'arbre.

Les rumeurs ont vite circulé et la nouvelle a été officiellement annoncée aux élèves, par les enseignants du collège que Zach fréquentait, en début d'après-midi. Un ado était entré dans la polyvalente de sa ville avec une arme à feu. Tout le monde ignorait s'il y avait eu des victimes et, si oui, combien. Les informations arrivaient au compte-gouttes, reléguées par la directrice qui suivait la tragédie à la télévision de la salle des profs. Zachary n'avait jamais cru en Dieu ni pratiqué de religion, malgré son éducation dans une école catholique. Pourtant, il se souvient d'avoir prié en silence, derrière son bureau. Il a supplié l'univers que ce ne soit pas *lui*.

En arrivant chez eux, les voitures de police qui parsemaient la rue, devant sa maison, n'ont fait que confirmer le mauvais pressentiment qu'il portait au creux de son ventre. Il avait échoué. Il avait laissé tombé son meilleur ami. Pire : il lui avait pratiquement mis l'arme de son crime entre les mains. C'est le fusil de chasse de son père qui l'avait aidé à tuer quelqu'un. C'était de sa faute. Tout était de sa faute. Tout partait de lui.

Zachary regarde son reflet dans la fenêtre sombre à côté de lui. Il ravale le sanglot qui vient de prendre forme dans sa gorge. Même après tout ce temps, il se sent toujours aussi responsable de ce qui est arrivé. Il lance un regard vers Daphné qui y lit tout de suite sa détresse. Elle essaie de le rassurer en lui tendant la main. Il ne veut pas pleurer devant elle. Il ne veut pas se montrer agité. Sur un coup de tête, il se lève d'un bond et s'élance vers la porte-fenêtre.

Son corps transperce la surface de l'eau bruyamment. Il n'en a rien à foutre. Il se moque de réveiller sa mère et son père. Il fait aller ses membres dans tous les sens, comme s'il se battait contre le liquide. La piscine s'emballe et déverse de grandes quantités d'eau par-dessus les rebords. Au bout d'un moment, il se donne une poussée au fond de la piscine, du bout des pieds, et se propulse vers le haut avant de laisser son corps s'engouffrer sous l'eau. Il hurle, en apesanteur au fond du bassin. Il hurle jusqu'à manquer de souffle. Jusqu'à ce que ça lui fasse mal.

Il prend une grande respiration en émergeant à l'air libre. Daphné est sortie sur la terrasse et l'observe, assise à l'indienne sur le bord de la piscine. Il nage jusqu'à elle. Arrivé devant elle, il s'accroche au rebord de la terrasse à l'aide de ses avant-bras. Il se sent mieux. Il repose sa tête sur ses mains. Daphné s'étire pour replacer une mèche de ses cheveux, qui se sont détachés sous l'impact, et dégage son visage.

— J'aime pas ça te voir comme ça.

Zach soupire. Il s'est pincé souvent pour être sûr de ne pas rêver d'avoir une fille comme Daphné pour blonde. Avec elle, il a l'impression de pouvoir être lui-même. Pas de jeu ni de faux-semblants. Elle le connaît fondamentalement. C'est avec elle qu'il a fait l'amour pour la première fois, une expérience transcendante qui l'a laissé pantois. Ce qu'il avait envisagé comme une simple attirance s'est métamorphosé en coup de foudre. Il a, depuis, la certitude que Daphné est son âme sœur. Il en est persuadé.

— Si tu savais comme je m'en suis voulu, Daph. Si tu savais… J'ai même offert à ses parents de témoigner en sa faveur en cour. Y ont pas voulu. T'imagines comment ma mère aurait été en tabarnak ?

— Est-ce qu'elle connaît toute l'histoire, ta mère ?

— Ça lui passe six pieds par-dessus la tête ! Tout ce qu'elle voit en lui, c'est un détraqué mental… Elle m'avait interdit d'aller le voir, t'sais ? J'suis allé pareil. Ça m'a coûté une beurrée en taxi, mais fallait que j'le voie. Que j'comprenne pourquoi il avait fait ça, sans m'en parler… J'pense qu'au fond, j'voulais juste qu'y me dise que c'était pas de ma faute… Y avait le regard vide. Y se ressemblait même pus. Mais au moins, il m'adressait la parole, même si c'était pour me dire de pus jamais aller l'voir.

— Tu m'as jamais raconté ça…

— Pour dire quoi ? Pendant deux ans, toutes les semaines, j'ai dépensé tout mon argent de poche pour lui envoyer des affaires. Des cigarettes, des livres, des cossins que j'trouvais drôles. Pendant deux ans, toutes les semaines, j'me suis débarrassé de mon blâme en essayant de racheter ma culpabilité. Pis ça a rien donné. Ça lui a pas rendu son temps. Ça l'a juste fucké encore plus. Pis moi, comme un épais, quand y finit par sortir pis qu'on se retrouve, je m'en vas le rejeter encore.

— Parles-y. Explique-lui. C'est pas comme si tu coupais les ponts, là. Y ont internet à l'autre bout du monde. Tu vas pouvoir y parler tous les jours, si tu veux.

— C'est pas ça qui me fait peur…

Zachary se détache du bord de la piscine et grimpe l'échelle en frissonnant. Il attrape une serviette sèche sur la corde à linge pour l'entourer sur ses épaules. Daphné le suit des yeux en s'appuyant sur ses coudes et sourit tendrement lorsqu'il s'adosse à la brique de la maison en tirant de chaque côté de sa serviette. Il semble perdu dans ses pensées, le regard ensorcelé par le reflet de la lune sur l'eau qui fait tourner la terrasse comme une boule disco.

— De quoi t'as peur, d'abord? lui demande Daphné dans un murmure.

— J'ai peur de ce qu'y est capable de faire. J'ai peur de lui…

Lui. Il pénètre dans le bureau d'un pas hésitant.

Le psychologue, assis derrière le grand meuble de bois massif, a la tête plongée dans un épais dossier qu'il feuillette, en léchant ses doigts avant de retourner chaque feuille qui s'y trouve. Au bout d'un moment, le docteur lève les yeux dans sa direction.

— Je m'excuse. C'est votre secrétaire qui m'a dit que j'pouvais entrer…

— Oui, oui ! Entre. Entre. Assieds-toi, j'en ai pour une seconde.

Il s'assoit sur le large fauteuil en face de l'homme au visage rond. Celui-ci continue de passer à travers son document en marmonnant tout bas, sans le regarder. La première fois qu'il est venu, il avait été impressionné par la grandeur de la pièce, par la chaleur qui s'en dégageait. Rien à voir avec le minuscule local dans lequel il le rencontrait au centre. Mais le psychologue, lui, était toujours le même.

Il déteste ces visites. Toutes les deux semaines, il doit se rendre à l'autre bout du monde uniquement pour rassurer les institutions, pour leur prouver sa bonne foi et leur démontrer que sa réhabilitation se déroule à merveille ! Si, dans les derniers temps au centre, il avait trouvé une certaine forme de refuge dans ses rencontres avec le psy, il aurait préféré ne plus jamais le revoir, une fois sorti. Mais c'était dans les conditions énoncées par le juge. Jusqu'à sa majorité, il était obligé de poursuivre sa thérapie.

— Bon. Désolé, je suis pas souvent au bureau et il fallait absolument que je révise ça ! Comment tu vas ?

Son attitude a changé. On dirait qu'à l'extérieur du centre, le docteur ne le traite plus de la même manière. Il s'adresse à lui sur un ton amical, comme s'ils avaient fait l'école ensemble. Ça le déstabilise. Il ne sait plus comment agir. S'il lui raconte tout, ça ne peut que se retourner contre lui. D'un autre côté, cet homme-là le connaît probablement plus que n'importe qui d'autre. Depuis presque trois ans, il l'a vu grandir, changer, devenir la personne qu'il est. Il lui a confié des choses terribles, des pensées qu'il n'avait jamais cru pouvoir exprimer à voix haute.

Il hausse les épaules.

— Je vais correct, j'pense.

— Juste *correct* ? Que se passe-t-il ?

— Ne-non. J'veux dire… ça va bien, là. Je me sens bien.

Le docteur tourne une page de son carnet, pour en dévoiler une vierge, et note quelque chose à toute vitesse en marmonnant. Chaque fois, il a l'impression que ce qu'il vient de dire pose problème. C'est comme ça depuis le début et il n'arrive toujours pas à s'y faire. Le psy l'observe en joignant ses mains sur le bureau.

— Parle-moi de tes parents.

Il se replace sur le fauteuil à la recherche d'une position plus confortable. Malgré sa largeur et son apparence luxueuse, il a l'impression que le siège se rapproche davantage d'une chaise électrique que d'un canapé apaisant.

— Ça a pas changé. Ma mère est en train de virer folle pis mon père dit jamais rien… comme d'habitude. Même quand y venait m'voir au centre, y disait rien. Tout c'que je sais, c'est qu'y veulent déménager. Y a des caves qui sont venus vandaliser la maison pis ç'a fait capoter ma mère. Elle dort pus.

— Qu'est-ce que tu ressens par rapport à ça?

— Rien. Je ressens rien. Si y veulent déménager, y a pas grand-chose que j'peux faire. C'est peut-être pas une mauvaise idée.

— Par rapport à la détresse de tes parents, je veux dire, comment tu te sens?

Que pouvait-il bien répondre à ça? Plus que jamais, il se sentait étranger dans sa propre maison. Les années s'étaient écoulées, mais rapidement, leur dynamique s'était réinstallée, comme avant. Il passait son temps enfermé dans sa chambre et eux faisaient comme si rien n'était arrivé. Ils regardaient la télé. Il n'avait aucun souvenir d'avoir déjà eu une vraie conversation avec eux. Devant leur incapacité à le comprendre, il s'est tout simplement résigné. Ils l'aiment, sans doute. Ils doivent bien l'aimer un peu puisqu'il est leur fils. Mais le silence de sa mère pendant son séjour au centre et le malaise apparent de son père le rendent toujours perplexe.

— J'me sens… je l'sais pas. Je m'en fous. Je m'attendais pas à mieux. Vous comprenez ?

Le docteur hoche subtilement de la tête en notant de plus belle dans son carnet. Il attrape un dossier sur la pile qui se trouve à côté de lui et l'ouvre. Il glisse son doigt sur les documents qu'il renferme et en ressort un d'un geste sec. Après l'avoir parcouru en marmonnant, il regarde à nouveau dans sa direction.

— Sophie m'a dit que tu essayais de te faire publier. Bravo !

— Bah. Ouais. Mais ça veut pas dire que ça va marcher. Pis même si ça fonctionne, j'pense pas que ça change ma vie.

— C'est tout de même tout un exploit de terminer un roman. Ça doit te rendre fier ?

— Si vous le dites.

Les aiguilles de l'horloge paraissent tourner au ralenti. La séance vient à peine de commencer qu'il a déjà hâte qu'elle se termine. Il a des choses à faire. Il sait que lorsqu'il rallumera son téléphone, des messages l'attendront. Il aura pris du retard sur ses livraisons. Travis attend son argent et il n'a pas les moyens de louper un client.

Depuis quelques semaines, il a repris le circuit laissé vacant par un des revendeurs de Travis. Rien d'énorme ou de dangereux. Juste une vingtaine de clients qui commandent régulièrement. Le boulot est facile et rapporte gros. Beaucoup plus que le salaire qu'il gagne à la sueur de son front au resto. Évidemment, il sait bien que c'est illégal, mais il essaie de ne pas trop y penser. De toute façon, il n'envisage pas de vendre du pot toute sa vie. C'est juste en attendant. Le temps de se ramasser assez d'argent pour fuir la maison de ses parents, le jour de ses dix-huit ans.

— Comment ça se passe au restaurant?

— Je lave de la vaisselle.

— Mais tu aimes toujours ça?

Il ferme les yeux en se massant le front. Il commence à avoir mal à la tête et le geste lui permet de contrôler son irritation. Il sent qu'il va perdre patience, d'une minute à l'autre, et la dernière chose dont il a besoin, c'est donner des munitions à son psychologue.

— Me niaisez-vous? Je pense pas que personne aime ça, laver de la vaisselle. C'est juste une job. Ça me fait sortir de chez nous. Ça me donne de l'argent. Mais non, honnêtement, je peux pas dire que *j'aime ça*.

J'ai des horaires de marde, mais le monde est cool. Je me plains pas.

— Tu t'es fait des amis?

— Pas vraiment. J'ai pas besoin d'amis.

— La dernière fois qu'on s'est parlé, ne m'as-tu pas mentionné… attends, je l'ai quelque part… Ah! Zachary?

Ce nom.

Juste sa mention est suffisante pour qu'il se sente de nouveau comme un perdant. Il n'a pas bronché lorsque Zach lui a annoncé qu'il partait pour la Thaïlande. Après tout, il ne lui doit rien. Aucune explication. Il a bien le droit de s'envoler vers l'autre côté de la planète si ça lui chante. Mais intérieurement, la nouvelle l'a secoué. Ce n'est pas tant le fait qu'il s'en aille. Ça, il peut le comprendre. Même avant, Zachary avait toujours parlé de voir le monde, de quitter leur petite ville sans intérêt et de parcourir les continents à la conquête de la liberté. Il est comme ça. Un rêveur. Il ne peut que se réjouir pour son ami, malgré la sensation de solitude qui approche. Il est triste. Cependant, il ne lui en veut pas.

Il l'envie. C'est cette envie qui le consume, qui ravage son équilibre. Il n'avait cessé, depuis qu'ils s'étaient rencontrés, de vénérer Zachary, jusqu'à imiter son style vestimentaire, reprendre ses expressions et s'approprier ses goûts musicaux. Pour lui, Zach représentait l'absolue perfection. Celui qu'il aurait voulu être. Il en avait toujours été ainsi. Il l'a déifié maintes fois, en faisant l'apologie à tous ceux qui voulaient bien l'écouter durant ses années au centre. Retrouver celui qu'il considérait comme son meilleur ami, son seul ami, a été l'apogée de son année.

Vraiment. Il est heureux pour lui. Seulement, et ça n'a fait qu'empirer chaque fois qu'il a revu Zachary, il sent une espèce d'amertume qui commence à grandir en lui. Un dégoût. Il ne peut plus supporter le bonheur dans lequel son ami se vautre. Ça l'assiège totalement et vient assombrir son bien-être. Jamais il ne pourra rivaliser avec ça. Zach et sa petite amie exceptionnelle, sublime. Leurs sourires radieux, leur désinvolture, la façon qu'ils ont d'être beaux sans effort. Des stéréotypes ambulants, dignes des feuilletons américains pour adolescents. Il déteste les maudire. C'est plus fort que lui. Il est presque soulagé de les voir partir. Même s'il se retrouvera seul. Même si, malgré tout, Zach va lui manquer.

Il veut partir, lui aussi.

— Qu'est-ce que vous voulez savoir, au juste ? Si je m'isole ? Si je me fonds à la masse ? Si je tiens le coup ? Si je réussis à dormir la nuit ? Hein ? Ben, vous pouvez cocher « oui » à toutes vos questions. Je vais bien, OK ? C'est bizarre, la vie, de l'autre bord, mais je survis. J'ai enfin l'impression d'exister.

— Prends-tu toujours ta médication ?

— Non. Ça me fuckait le cerveau. Pis vous pouvez pas m'obliger à les prendre. Je me suis informé. J'ai le droit de pas en vouloir.

— On pourrait essayer une autre sorte si les effets de…

— Non. J'suis tanné de toute voir flou. J'en ai pas besoin.

Ils se défient du regard. Après un instant, le docteur mouille son stylo avec sa langue et écrit frénétiquement sur la page de son carnet. Il a l'air contrarié. Il n'aime pas l'agressivité qui paraît ressurgir chez son patient. Il y a longtemps qu'il n'avait pas observé cette haine-là dans ses yeux.

— Si je peux être complètement ouvert avec toi, j'ai l'impression qu'on régresse au lieu de s'améliorer.

— On ? Y a pas de « nous » ici, docteur. Y a juste moi. Pis j'ai pas l'impression que je régresse, au contraire. J'suis tanné de vivre dans l'passé ! C'est trop tard maintenant. Je peux plus reculer. Alors j'avance.

Il saisit son sac en bandoulière, qu'il avait soigneusement déposé sur le tapis, à côté du fauteuil. Il le passe autour de son cou en se mettant debout, espérant que l'odeur distinctive de la mari qui s'y trouve ne flotte pas jusqu'à son psychologue. Ce n'est pas tant la drogue qui l'angoisse. Simplement le fusil qu'on découvrirait au fond, si on fouillait son sac.

— La rencontre n'est pas terminée.

— Moi, je pense que oui. On se reparlera de tout ça dans deux semaines, OK?

Sans autre cérémonie, il se dirige tout droit vers la porte, son téléphone déjà entre les mains. Il fait un signe de tête vers la secrétaire qui le regarde sans trop comprendre pourquoi il sort du bureau avant l'heure prévue et dévale les marches jusqu'au rez-de-chaussée.

En poussant la porte vitrée de l'édifice, il retrouve son calme. Il pleut à boire debout. Les piétons passent à côté de lui au pas de course, la tête rentrée dans leurs épaules, comme si ça allait les protéger de l'averse. Il sourit. Il aime l'odeur de la pluie estivale qui s'abat sur l'asphalte brûlant. Une odeur de poussière qui laisse un goût métallique dans sa bouche.

Il rabat son capuchon avant de se mettre à marcher vers l'abribus le plus proche. Il aurait dû lui dire, songe-t-il en défilant sur le trottoir. Il aurait dû lui répondre la vérité lorsque le psy lui a demandé comment il se sentait.

Il se sent vivant.

Soudainement, plus rien n'existe autour.
Il n'y a que nous.
Face à face. Comme un reflet dans un miroir déformant.

Victor ne devrait pas se trouver là. Il le sait.

Quelque chose l'empêche de partir. Une certitude dont il s'explique mal les origines. Il s'est imaginé cet instant à de nombreuses reprises, dans les dernières années, mais il n'a jamais cru que l'occasion se présenterait. Maintenant qu'il y est, il se sent stupide. Nerveux. Les paumes de ses mains sont moites et il sent la sueur envahir son visage, couler le long de ses tempes. Et il reste là, immobile, sur le bord de la rue.

Son téléphone vibre. Il y jette un coup d'œil. C'est son ami Benoît qui le texte pour savoir qu'est-ce qu'il fout à ne pas être parmi eux par une si belle journée. Il l'ignore. Ce n'est pas le bon moment.

Il scrute les alentours. Il doit avoir l'air ridicule à se tenir debout au milieu de nulle part. Victor décide donc de s'accroupir et de s'asseoir sur la bordure en béton qui longe la rue. Il attend. Il ne sait pas encore exactement ce qu'il guette, mais il sait qu'il est au bon endroit. La voiture qui est stationnée dans l'allée lui confirme qu'il y a assurément quelqu'un de présent à l'intérieur. Avec un peu de patience, il obtiendra ce qu'il est venu chercher.

Il considère la petite maison distraitement. C'est une demeure comme toutes les autres qui s'alignent dans cette rue. Elle n'a rien d'admirable qui la distinguerait, à part la porte du garage qui semble avoir été repeinte récemment. Le brun foncé luisant détonne avec celui qui recouvre les volets. Il ose à peine croire que, tout ce temps-là, il est passé devant sans se douter que c'était *cette maison* qui avait vu naître l'innommable. Il s'était imaginé quelque chose de différent. Un taudis. Une vieille maison mobile glauque perdue dans un champ ou un appartement miteux comme ceux qui longent les rues près du centre commercial.

Il passe une main dans ses cheveux, pour les décoiffer adéquatement. Il ignore pourquoi il porte autant d'attention à son apparence. Ce n'est pas comme s'il s'apprêtait à rencontrer la reine ou quelqu'un d'important. Il veut juste faire bonne impression. Avoir l'air sympathique. Cool. Inoffensif.

C'est à l'après-bal qu'il est tombé sur Gabriel. Ils ne s'étaient plus vraiment reparlé après la fusillade. Victor avait préféré se tenir loin de lui et de ses nouveaux amis. Benoît avait aussi eu la même réaction, ce qui n'avait que soudé encore plus leur amitié. Il continuait tout de même à le saluer poliment dans les corridors. Puis Gabriel avait décroché son diplôme une année avant lui et il ne l'avait jamais revu, jusqu'à ce soir-là. Sa présence au party n'était pas surprenante. Gab avait toujours été un fêtard invétéré et il n'aurait pas manqué une occasion pareille. Les après-bals de l'école avaient toujours eu la réputation d'être mémorables.

Gabriel était complètement bourré. Il l'avait pris par l'épaule et l'avait pratiquement forcé à boire un coup avec lui. Victor avait accepté le verre de plastique rouge qu'il lui avait tendu, pour qu'il cesse d'insister. Les quelques bières qu'il avait sifflées avec Ben avaient été suffisantes. Il n'aimait pas être saoul. Gab s'était mis à déblatérer à propos de la fusillade. Il n'arrêtait pas de beugler contre le système judiciaire, la politique, la bourgeoisie. À un certain point, tout ce qu'il disait n'avait aucun sens. Victor s'était contenté d'acquiescer en riant, cherchant désespérément quelqu'un autour de lui qui viendrait le sauver des griffes de Gabriel.

— Je l'sais où y habite, gros! C'te gang de malades là, ils l'ont laissé sortir, esti! Peux-tu croire ça?

Victor avait tout de suite eu un malaise. Il savait qu'il était sorti. Il avait vu la photo passer sur son fil d'actualités, repartagée par un nombre surprenant de ses contacts. Il n'avait ni commenté ni partagé. Il avait ignoré la pétition. C'était grotesque. Peu importe ce qu'il avait pu faire, ce gars-là ne méritait pas d'être exposé de la sorte sur les médias sociaux. Il en avait marre de tout le cirque qui entourait toujours la tragédie, après tout ce temps. Il était présent. Il s'en souvenait. Il n'avait pas besoin qu'on lui rappelle sans arrêt.

Gab lui avait raconté avec jouissance comment lui et son ami avait été marquer la maison au fer rouge afin que toute la ville sache que ce fou dangereux résidait toujours là, dans notre ville. L'histoire n'amusait pas Victor. Au bout d'un moment, il a réussi à échapper à l'emprise de Gabriel et a effacé leur brève rencontre de sa soirée. Il a, cependant, laissé celui-ci ajouter son numéro de cellulaire dans sa liste de contacts. Ce n'est que quelques semaines plus tard que la curiosité a pris le dessus sur sa raison. Après avoir hésité durant des jours, il a finalement texté Gabriel pour connaître l'emplacement exact. Il voulait savoir. C'était devenu viscéral.

Victor regarde l'heure sur son téléphone pour constater que Benoît lui a de nouveau envoyé un message. Apparemment, la fête vient d'éclater chez Maryse. Il ne manque que lui. Il hésite. Une partie de lui a envie de sauter sur son vélo pour aller les rejoindre. Les partys chez Maryse sont toujours délirants. Mais il se rétracte. Il va s'attarder encore un peu. Juste un peu. Juste au cas où…

Victor est en train de pianoter sur son écran quand il entend le grincement d'une porte s'ouvrir. Il lève les yeux, plus stressé que jamais.

C'est *lui*.

Il a changé, certes, mais Victor est persuadé que c'est lui. Ce doit être lui.

Il transporte deux sacs à ordures qui ont l'air de vouloir céder sous le poids de leur contenu. Il porte une camisole noire ajustée à son corps mince qui retombe par-dessus le pantalon d'armée qu'il a remonté jusqu'à ses genoux. Sa barbe fournie transforme son visage, mais, même de l'autre côté de la rue où Victor se trouve, la casquette qu'il porte à la renverse sur sa tête laisse paraître ses yeux et la brèche dans son sourcil, là où sa cicatrice s'étend pour aller se perdre sur son front.

Victor ravale sa salive. Il panique. Son idée se révèle soudainement être la pire qu'il ait eue depuis longtemps. Il ne bouge pas. Peut-être qu'en restant de marbre, il se fondra au décor. Trop tard. Il le voit lever la tête dans sa direction alors qu'il laisse tomber les deux sacs lourds sur le bord de la rue. Aveuglé par le soleil, il pose une main sur son front et regarde droit vers lui. Victor n'a même pas le temps de respirer qu'il est déjà en train de traverser la rue. Il se redresse sur ses pieds promptement avec l'envie de reculer au fur et à mesure que l'autre avance.

Il est plus grand que lui, ça le surprend. Ça l'effraie. L'autre fronce les sourcils et l'étudie avec ses yeux noirs. Il est visiblement contrarié. Il enfonce le bout de ses doigts dans le creux de son épaule en lui donnant une petite poussée provocatrice.

— Qu'est-ce tu veux, toi? Hein? Qu'est-ce que tu r'gardes, de même? Tu r'viens pitcher des roches dans nos fenêtres, c'est ça?

Tout en lui est menaçant. Victor frémit au son de sa voix. Ses invectives lui reviennent en écho. *Tu ris pus autant, là, hein?* Il ne s'attendait pas à ce que ça réveille en lui autant d'émotions, un mélange de terreur et de respect. Victor lève les mains devant lui, pour se protéger. Ses jambes tremblent.

— Hey, hey, hey. Ne-non. J'ai jamais lancé de roches chez vous, j'te jure. J'suis pas… J'veux pas… Je…

— Qu'est-ce tu fais ici, d'abord?

Victor fait un pas à reculons, au ralenti, pour ne pas le brusquer. Il veut juste s'éloigner de lui un peu, mieux respirer. L'autre le regarde plus attentivement. Son expression se transforme. Il vient de le reconnaître. Il recule d'un pas, lui aussi, l'air soudainement sonné.

— J'te connais, toi, dit-il du bout des lèvres. Victor quek chose…

— On était dans le même groupe en secondaire II, affirme-t-il, la voix chevrotante.

— T'as du culot en crisse de t'pointer ici !

— Je l'sais. Je l'sais, *man*. J'voulais juste…

Il est con. Il se trouve con. Il songe à attraper son vélo et se mettre à courir à toute vitesse, enfourcher sa bécane et filer le plus loin possible. Si la journée de la fusillade était toujours gravée dans sa mémoire, il ne se doutait pas que, près de trois ans plus tard, il ressentirait la même terreur.

Il avait endossé son humiliation. Il l'avait acceptée. Sur le coup, Victor avait simplement été soulagé de ne pas s'être fait tirer dessus. C'est de ça qu'il avait eu peur. Mourir, assassiné froidement, au milieu de la cafétéria de son école. Il se souvient avoir été rassuré en le voyant sortir de la salle sous le son agressant de l'alarme de feu, avec quatre de ses amis en otage. N'importe qui sauf lui.

Complètement nu, il s'était écroulé sur le plancher froid, incapable d'arrêter de pleurer. Sa nudité ne lui importait même plus. Il était juste stupéfait. Incapable de croire à ce qui venait de se dérouler sous ses yeux. À côté de lui, Malik tenait sa jambe ensanglantée à deux mains en sanglotant de douleur, ou de frayeur. Les deux, peut-être. Puis tout était devenu flou.

— J'voulais juste m'excuser.

C'est sorti d'un coup. Il l'a dit. Après tout ce temps, il a enfin pu se libérer de ce poids-là qu'il portait en secret, depuis cette journée-là.

L'autre ne semble pas saisir ce qu'il vient d'entendre.

— Je comprends pas.

— Toute. Tout c'que je t'ai fait. J'étais cave. Trop cave pour me rendre compte que j'étais cave. Que c'était pas correct, c'que je faisais. J'me pensais ben *hot* parce que ça faisait rire le monde, pis j'trouvais ça ben drôle. Pis je l'sais que ça change rien que j'te dise ça maintenant. J'voulais juste que tu l'saches. Que tu saches que je comprends pourquoi t'as fait ça… Qu'on le méritait.

Victor est essoufflé. Il a l'impression d'avoir couru un marathon. Il n'est pas capable de se souvenir de tout ce qu'il avait prévu lui dire, mais il ne peut plus parler. Il est vidé. L'autre ne le regarde plus. Ses yeux semblent chercher quelque chose d'invisible dans le vide, il a l'air abattu.

Après un temps, il se redresse. Son visage s'est décrispé et il ressemble tout à coup au garçon qu'il était avant. Il fixe Victor quelques secondes et lui fait un petit hochement de tête subtil avant de faire demi-tour et de rentrer dans la maison, comme si tout ça ne s'était jamais passé.

L'autre. Il remet le change à la fille en lui faisant un clin d'œil. La cliente attrape son sac et sort du dépanneur sans le remercier, sans lui sourire. Il ne s'en offusque pas. La déshabiller des yeux pendant qu'elle s'éloigne est suffisant pour lui. C'est le genre de plaisir qui fait sa journée.

Il se rassoit sur le tabouret derrière le comptoir. Si l'heure qu'il peut lire sur la caisse est exacte, Peter n'est qu'à quelques minutes d'être en retard. Il espère qu'il va au moins se pointer. Il ne se sent pas d'humeur à se taper un autre shift de huit heures juste parce que Peter a oublié de se lever. Ça lui arrive souvent. Heureusement, son gérant est assez correct pour venir prendre la relève si ça arrive. Là nuit a été assez longue comme ça. Entre quatre et cinq heures du matin, il n'a eu absolument aucun client. S'étant déjà acquitté de toutes les tâches sur sa liste, il a trouvé l'heure pénible. Au moins, à partir de cinq heures, la ville a repris peu à peu vie et les deux dernières heures ont passé sans qu'il s'en aperçoive.

Ça ne vaut pas son emploi à l'entrepôt de saucisses. Ni le salaire. Mais il a été engagé rapidement, alors il ne s'est pas posé de questions. Rares sont ceux qui acceptent de travailler à temps plein, de nuit. Il y a vu une occasion en or. Le gars qui lui passait l'entrevue avait à peine regardé son curriculum vitæ, sautant tout de suite à ses disponibilités. Ses payes sont médiocres, le gilet obligatoire lui donne de l'urticaire et la sélection musicale laisse franchement à désirer, mais ça paye le loyer.

Il profite du répit dont il dispose pour aller récolter les quelques emplettes qu'il compte faire une fois que Peter finira par arriver. Du lait, du pain, des tranches de fromage jaune. Juste de quoi le sustenter encore quelques jours avant que son chèque soit déposé dans son compte. Aujourd'hui, il est chanceux. Pendant la nuit, il a dû faire la rotation des muffins et des sandwichs dans le comptoir. Officiellement, il doit jeter les aliments dont la date de péremption arrive à échéance. Lui les fourre discrètement dans son sac. Ce n'est peut-être pas frais, mais c'est mangeable. C'est tout ce qui lui importe. Il n'a pas les moyens de cracher sur de la bouffe gratuite et ses colocs sont toujours contents quand il rapporte du sucré pour tout le monde.

Monsieur Bergeron, le concierge de son ancien immeuble, a fini par en avoir assez de courir après le loyer et lui a donné un ultimatum : soit il payait ce qu'il devait, soit il avait une semaine pour ramasser ses affaires et déguerpir. Il avait opté pour la deuxième solution. Rémi, un gars avec qui il travaillait à l'entrepôt, lui avait répété plusieurs fois qu'il y avait une chambre de libre dans l'appartement qu'il partageait avec deux autres de ses amis. Jusque-là, il avait décliné l'invitation, préférant de loin vivre seul, mais devant son éviction assurée, il a appelé Rémi.

Celui-ci est passé après son quart de soir au volant d'une vieille camionnette rouillée. Ils ont vidé l'appartement pendant la nuit, comme des voleurs. En moins de trois heures, le peu de biens qu'il possédait a été déménagé dans l'appart de Rémi et ses colocs. Lui, il occupe la chambre du fond, la pire, celle à côté de la salle de lavage qui abrite aussi la fournaise centrale et le réservoir d'eau chaude. Le bruit est dérangeant et la chambre, minuscule, mais c'est chez lui. Il s'en accommode. Une fois séparé en quatre, le loyer lui coûte trois fois moins cher que celui de son ancien immeuble. Toutes les deux semaines, les gars mettent un peu d'argent dans un pot commun qui sert à acheter l'essentiel. Papier de toilette, savon à vaisselle, sacs à vidange. Avec ce qu'ils réussissent à économiser, ils se paient une caisse de bière. La vie à plusieurs a ses avantages.

— Excuse-moi, big, l'autobus m'a passé dans face ! crie Peter en entrant dans le dépanneur en courant.

Il se met immédiatement à compter le contenu de sa caisse. Dehors, le matin rose l'appelle. Il a juste hâte d'enlever le gilet épais qu'il porte, à l'effigie de la chaîne, et d'aller profiter du restant de sa journée. Vers midi, alors que ses colocs vont avoir déserté l'appart, il va se coucher tranquillement dans sa chambre et dormir pour le reste de la journée. Lorsqu'il se réveillera, le soleil sera déjà couché et il reviendra au dépanneur pour commencer sa nuit. C'est une routine qu'il commence à apprécier. Ça lui permet d'éviter les bars, tout en donnant à sa vie un semblant de stabilité.

Aussitôt Peter posté derrière le comptoir, il prend son sac dans l'arrière-boutique et file tout droit vers l'extérieur. L'air matinal est frais et il s'en remplit les poumons. Le duplex qu'il habite désormais est à une vingtaine de minutes de marche. Comme il n'a pas renfloué sa carte d'autobus au début du mois, il décide de conserver la poignée de change qu'il a en poche et de marcher jusque chez lui. Pour éviter de passer devant la polyvalente, il fait un détour par le chemin de fer. Un peu plus loin, il y a un trou dans la clôture de fer qui débouche sur le stationnement du terminus d'autobus. Il ne lui restera plus qu'à le traverser afin d'arriver dans sa rue. Ça le rallonge, mais il n'aime pas revoir l'énorme bâtisse en béton. Trop de mauvais souvenirs. Trop de démons.

Il enjambe la clôture pour se retrouver dans le stationnement bondé de voitures. Un peu plus loin, les travailleurs font la file en attendant l'arrivée des autocars qui les emmèneront en ville, dans le trafic continu des autoroutes. Il plaint ces gens-là. Il aime mieux sa vie tranquille à l'extérieur de la métropole. Ici, au moins, il a ses repères, ses amis. Il se verrait mal revêtir habit et cravate pour aller s'isoler dans un gratte-ciel débile au milieu de la jungle urbaine.

Il passe à côté de la billetterie pour aller attraper le passage à piétons. De l'autre côté de la rue se trouve une petite allée asphaltée, entre deux pâtés de maisons, qui le mène tout droit chez lui. Son cœur fait un bond dans sa poitrine. Il continue à marcher comme si de rien n'était, en sentant son corps s'engourdir sous l'énervement. Il contourne la billetterie et ralentit sa cadence. Il tente d'être discret et se poste derrière une cabine téléphonique.

C'est *lui*.

Il est adossé sur le côté de la billetterie. D'une main, il réussit à tenir un grand gobelet de café et un livre de poche ouvert. De l'autre, il fume une cigarette. C'est lui, il faut que ça soit lui. Il le reconnaîtrait parmi une foule. Il n'a jamais oublié ce visage-là. Il est sans doute un peu plus grand, un peu plus bâti, mais ses yeux le trahissent. Son petit air arrogant, au-dessus de ses affaires.

Il dégage de la prétention jusque dans ses vêtements.

Il prend une grande respiration. Il ne doit pas s'énerver, agir sur un coup de tête. Même si l'envie folle d'aller à sa rencontre et de le frapper le possède complètement, ce n'est ni l'endroit ni le moment. Des plans pour qu'il se fasse arrêter et qu'encore une fois, ce soit l'autre qui s'en sorte indemne. *Gabriel avait raison*, songe-t-il. Ce gars-là a tué un de ses meilleurs amis, et à peine trois ans plus tard, il se promène en liberté. C'est insensé.

Lorsqu'il le voit ranger son bouquin dans la poche arrière de son pantalon pour se diriger vers un des autobus qui viennent d'arriver, il panique. Sans y penser deux fois, il fouille en vitesse dans son sac et en sort sa vieille casquette de travail aux couleurs de la chaîne pour laquelle il travaille. Il l'enfonce le plus profondément possible sur sa tête, enfile ses lunettes de soleil et en moins d'une minute, il monte dans l'autobus.

Il égrène son petit change dans le dispositif, sacrant intérieurement devant le tarif astronomique exigé pour le trajet, avant de s'avancer dans l'allée. Il passe juste à côté de lui, le nez déjà replongé dans son livre. Il ne doute plus maintenant. Il porte encore les marques de la raclée que lui et sa gang lui ont foutue. Il se trouve une place libre au fond de l'autobus et s'assoit, le cœur au bord des lèvres. Il ne sait pas si c'est la chaleur qui le rend nauséeux ou la fébrilité, mais il a l'impression qu'il va s'évanouir.

Le véhicule démarre et emprunte la sortie vers l'autoroute. *Je ne suis pas en train de faire ça,* se dit-il. *Je vais me réveiller d'un instant à l'autre.* Il ne rêve pas. Il ignore complètement où sa filature le mènera. Il n'a pas songé aux détails ni même à la raison qui vient de le pousser à pénétrer dans le véhicule. Il n'est certain que d'une chose : peu importe où cet enfant de chienne se rend, il le saura. Et lorsque le moment viendra, lorsque tous les astres s'aligneront parfaitement, il sera prêt. Et il frappera.

Assise à une table pour deux, Cynthia sirote son verre de vin blanc en regardant le téléviseur silencieux qui trône en haut du bar. Elle ne comprend pas pourquoi on l'a arrêté sur la chaîne d'infos en continu. C'est ·plutôt déprimant. Personne ne vient dans ce petit resto sympathique pour écouter les nouvelles. Sur l'écran, elle reconnaît l'animateur d'une émission populaire qui traite d'affaires d'intérêt public diverses. Pour la millième fois, sans doute, ils recyclent une tragédie. Présentement, c'est la mère d'un des deux jeunes responsables de la fusillade qui a eu lieu dans une école de la banlieue de Québec, quelques semaines avant le début de l'été. En gros caractères blancs, au bas de l'écran, une citation choc, apparemment de la bouche même du tireur anonyme. « J'ai ouvert la porte de la classe et j'ai pointé mon arme dans sa direction ! » peut-on y lire. La dame qui se trouve face à l'animateur a l'air démolie.

— Ah ! *Good.* Tu as commencé sans moi !

Sophie replace ses cheveux derrière ses oreilles en prenant place face à Cynthia. Elle suit le regard de son amie et lève les yeux au ciel.

— Mon Dieu, ils parlent encore de ça? lance-t-elle, exaspérée, en faisant signe au serveur de lui apporter la même chose que Cynthia.

— N'importe quoi pour attirer les cotes d'écoute, tu sais bien. Ça a l'air qu'ils vont être jugés comme des adultes.

— Argh. Je suis juste contente qu'ils soient pas de notre district… je veux dire de mon district. Pour toi, ça changera pus grand-chose dans quelques jours.

Cynthia a remis sa démission du centre jeunesse où elle travaille. Elle n'a plus la force de se lever chaque matin pour affronter les faces défaites des adolescents qui sont sous responsabilité. C'est trop d'énergie négative, trop exigeant. Elle a aimé son métier, de tout son être. Depuis sa sortie de l'école, elle s'est mise au service des autres. Jamais elle n'a hésité devant un défi. Elle avait l'intention de changer le monde, un être humain à la fois. Mais les jeunes contrevenants, elle a donné. Il est temps, pour elle, de passer à autre chose.

Sophie se lèche les lèvres devant le plateau de tapas que vient de déposer le serveur. Elle lève son verre bien haut en le tendant vers Cynthia.

— À toi, ma chère! En espérant que ton nouvel emploi te rende heureuse!

— *Cheers!*

— Regarde ce que j'ai reçu.

Sophie sort un épais paquet de feuilles retenues par une pince et le pose devant Cynthia. Celle-ci écarquille les yeux en laissant sortir un cri d'étonnement à travers sa bouchée de crevette. Elle avale rapidement en prenant une gorgée de son nouveau verre de vin.

— Wow! C'est son livre?

— Son manuscrit, oui! Il reste encore plein de corrections à faire, mais il est là! Il existe!

— Oh *my God!* Il doit capoter.

Sophie se renfrogne. Ça va bientôt faire quatre ans qu'elle enseigne aux jeunes du centre. L'établissement a peu de moyens et les journées peuvent parfois lui sembler interminables, mais elle apprécie le *challenge*. Elle s'est toujours dit que là-bas, elle pourrait faire pencher la balance et aider ces ados-là à avancer dans la vie. Lorsqu'il était arrivé au centre, elle l'avait sous-estimé. Elle avait plutôt tendance à exploiter le potentiel de chacun de ses élèves en se concentrant sur le positif, mais, dès sa première journée, il s'est montré distant et agressif. Elle ne supportait pas ce genre de comportement. S'ils n'étaient pas prêts à travailler et à apprendre, ils pouvaient toujours rester dans leur cellule toute la journée à ne rien faire. C'était leur choix.

Elle s'est vite aperçue qu'il était différent. Il passait à travers les exercices et les travaux avec une aisance peu commune pour un délinquant. Elle avait connu son lot d'élèves doués, évidemment, même si certains avaient besoin d'une petite poussée dans le dos supplémentaire. Lui, il détonnait. Il avait l'attitude. La colère. Le visage de l'emploi. Mais quelque part, au fond de lui, se cachait un garçon sensible et cultivé. Un artiste.

Elle l'a encouragé, du mieux qu'elle a pu. De loin, elle l'a observé évoluer, devenir quelqu'un d'autre. Sous ses conseils, il s'est mis à écrire. Beaucoup.

Elle qui avait toujours proclamé fièrement que jamais elle n'avait préféré un élève à un autre s'est vite retrouvée renversée. Ce n'était pas un chouchou. C'est pratiquement impossible de prendre un de ces élèves en affection, surtout en sachant de quoi ils sont capables. Mais elle a eu un faible pour lui. Pour sa façon d'écrire. Elle y a trouvé plus qu'un simple potentiel. Il avait du talent. Un réel don pour les mots. Elle l'a aidé à passer son diplôme, devançant la date prévue, au grand étonnement de la direction. Avant qu'il ne quitte le centre, elle a demandé la permission de travailler avec lui sur ce qui deviendrait son premier livre. S'il avait semblé enthousiaste au départ, les derniers courriels qu'elle avait reçus de sa part s'étaient avérés quelque peu décevants.

— Je l'sais pas trop. Ça a l'air de pas trop l'énerver.

— Attends. S'il réussit à le publier, il va réaliser que c'est pas tout le monde qui peut faire ça. C'tu bon, au moins ?

— Très. Ça a été compliqué à tout mettre ensemble. C'était tout croche, pêle-mêle, dans plein de cahiers pis de papiers chiffonnés. Mais bon. J'en suis venue à bout. Je me demande des fois…

— Quoi ?

— Ben… si je lui rends vraiment service ou bedon si je le fais plus pour moi.

— Sophie, tu te poses trop de questions. Pour une fois qu'on en réchappe un, on va pas commencer à analyser le pourquoi du comment. Tu viens peut-être de changer sa vie, t'sais. On sait jamais.

— J'espère. Il l'a pas eue facile. Y mérite d'être heureux.

Cynthia se redresse sur sa chaise. Elle sourit devant les paroles de son amie et bientôt ancienne collègue de travail. Ça la réconforte de voir qu'elle n'est pas seule. Que malgré le fait que le monde lui apparaisse souvent comme un endroit hostile, il existe encore de bonnes personnes. Elle va lui manquer. Elle lève son verre de nouveau.

— Buvons à sa santé, alors !

— À lui !

Les deux amies font tinter leurs verres avant de prendre une gorgée. C'est une soirée parfaite. Le vent qui entre dans le petit restaurant à travers la vitrine ouverte embaume l'air d'effluves sucrés et envoûtants. On dirait que rien ne pourrait venir briser la quiétude qui semble envelopper les gens.

Pourtant.

Lui. Il prend une gorgée de sa bière et la dépose par terre, entre ses jambes, pour tirer sur les manches de sa veste, histoire de réchauffer ses mains.

La nuit est fraîche. On dirait que le mois d'août s'est installé confortablement, apportant une brise du nord. Andrée, une de ses patronnes, apparaît dans l'embrasure de la porte et s'accroupit à côté de lui, une bière à la main. Elle lui tend une cigarette avant de s'en allumer une. Il l'interroge du regard, un sourire en coin.

— Tu fumes, toi ?

La jeune femme tire sur sa clope et soupire en laissant échapper un nuage de fumée. Elle lui prête son carton d'allumettes en répondant :

— Non. En fait j'avais arrêté mais t'sais, c'est l'été pis toute… Hey ! *Good job* ce soir ! C'était une grosse, celle-là !

Il la remercie en cognant sa bouteille contre la sienne. La soirée a, en effet, été éprouvante. Il n'a rien contre la restauration, mais il déteste les groupes. Trente personnes qui se font servir simultanément signifient également que toute leur vaisselle se retrouve en même temps dans sa plonge… à la fin de la soirée. Il ne termine jamais aussi tard, mais les filles ont été gentilles et lui ont même assuré que l'une d'elles irait le reconduire chez lui s'il manquait le dernier autobus vers la banlieue. Évidemment, il s'est démontré efficace et peut se permettre de se prélasser un peu pour boire la bière qu'on lui a offerte avant de prendre le chemin du retour. Les deux serveuses, agréablement surprises qu'il vienne les aider à débarrasser les tables, lui ont même refilé un peu de leurs pourboires en guise de remerciement.

— Bon. Je vais aller faire la fermeture, lance Andrée en écrasant sa cigarette à moitié fumée avant de disparaître à l'intérieur.

Ce temps le rend nostalgique. Il y a des soirs, comme ceux-là, qui évoquent des souvenirs d'enfance, sans qu'il sache trop pourquoi. Un petit chatouillement dans la poitrine qui ressemble à du bonheur. Sa vie n'est pas parfaite, mais il a le pressentiment, pour la première fois depuis longtemps, qu'à partir de maintenant, tout ira pour le mieux. Ses parents ont finalement vendu leur maison, ce qui leur a étonnamment fait un bien immense. Il a même vu sa mère sourire à pleines dents. Rapidement, ils ont jeté leur dévolu sur un condo à trois chambres réparties sur deux étages. Le nouveau développement les vendait à un prix concurrentiel et le tout leur était livré fraîchement peinturé, clefs en main. Ça lui fera bizarre de vivre dans une autre ville que celle où il a grandi. D'un autre côté, un calcul rapide sur internet lui a confirmé que ça lui prendrait deux fois moins de temps pour se rendre au resto. Puis, il va enfin pouvoir mettre son passé aux oubliettes. Plus aucune rue ni aucune maison ne lui rappelleront son adolescence. Un nouveau départ véritable.

Il repense au petit baveux de son adolescence qui a ressurgi dans sa vie pour s'excuser. Ça lui fait drôle. Pour la première fois, il a l'impression de pardonner. Il ne lui a pas dit. Il n'a pas su comment réagir. Mais le geste l'a empêché de dormir pendant plusieurs nuits, comme s'il remettait soudainement en doute sa colère. Il a beau cultiver sa rancune, c'est un réel remords qu'il a aperçu dans les yeux de Victor.

Le nommer... Il n'avait pas fait cela depuis des années.

Sur son téléphone, Zachary vient de lui envoyer quelques photos de leur séjour au Laos. Ils se dirigent vers le Vietnam en faisant un détour par le Cambodge. Il lui a répondu un petit message en l'assurant que tout allait bien pour lui, de goûter à quelque chose de dégueulasse pour lui. Il s'est mis à rêver. Voyager lui apparaît désormais une possibilité. Il a entendu parler de certains programmes, auxquels il pourrait s'inscrire, pour aller faire de la coopération internationale, creuser des puits, bâtir des ponts, faire pousser des légumes. Il se voit faire ça. Dans le fin fond de l'Afrique, personne ne saurait qui il est. Personne ne se poserait de questions.

Un des cuisiniers sort par la porte de derrière, son sac à dos pendant à une épaule. Il regarde autour de lui subtilement pour s'assurer qu'ils sont seuls.

— Hey! As-tu encore du *weed* à vendre, toi? Mon gars est à sec.

Il acquiesce d'un mouvement de tête, en élargissant les yeux. Il n'aime pas vendre sur le terrain du restaurant. Il a déjà averti les gars de ne plus faire ça. Mais devant la poignée de billets que le cuisinier dissimule dans son poing fermé, il décide de faire une exception. Les mains plongées dans son sac, il insère subtilement un sac plein de cocottes dans un paquet de cigarettes vide. Il fait signe à son collègue de déposer l'argent dans sa paume en feignant de lui serrer la main.

Il sonde son téléphone. Il commence à être tard. Il compose le numéro à toute vitesse. C'est sa mère qui lui répond. Elle a la voix pâteuse et étrangement mielleuse. Depuis qu'ils ont signé les papiers de vente, ses parents ont célébré presque tous les soirs à coups de bouteilles de vin dispendieuses et raffinées. Selon ce qu'il entend, ils ont récidivé ce soir. Il informe sa mère qu'il est encore en ville, de ne pas s'inquiéter, il rentrera tard. Elle le remercie chaleureusement d'avoir appelé en lui disant d'être prudent, qu'elle a hâte de le voir au petit-déjeuner. Troublé, il raccroche en dévisageant son appareil, comme si celui-ci avait un défaut de fabrication. Il sourit en le rangeant dans son sac. Les chatouillements reviennent.

Oui. Vraiment. Tout ira pour le mieux.

POW.
POW. POW.

Le parc est désert.

Les arbres feuillus projettent leurs ombres dansantes sur l'endroit, l'enveloppant d'une obscurité opaque, presque tangible. Seul le bruit de l'eau qui s'écoule vient bercer le silence. L'air est doux.

Des bruits secs de pas semblent transpercer le calme. Celui qui marche s'enfonce dans la nuit, insouciant. Il ne sait pas encore que là, dans la noirceur, l'autre attend. Il vient à sa rencontre à pas feutrés. Il ne s'en aperçoit qu'une fois sa vision accoutumée à la pénombre. Il s'immobilise.

L'autre est là. Devant lui. Il peut voir ses contours se dessiner sous la lumière tamisée qui se fraye un chemin à travers les feuilles. Son visage en noir et blanc qui surgit du passé. Soudainement, plus rien n'existe autour. Il n'y a qu'eux. Ils s'observent sans rien dire, face à face, comme s'ils se miraient dans une glace déformante. Ils se reconnaissent. Leurs traits n'ont pas changé.

C'est peut-être un homme qui se tient devant lui, mais il le voit tel qu'il était. Tel qu'il a toujours été. Tel qu'il est. C'est un monstre.

L'un d'eux parle.

Ça faisait longtemps, dit-il.

Tout bascule, comme une impression de déjà-vu. Ils se voient. Ils se méprisent. Ils se détestent. Ça remonte de loin en s'amplifiant, en pulvérisant tout le reste. Cette haine incommensurable qui les anime. Ça passe à travers eux comme un courant déchaîné qui emporte tout sur son passage.

Tu ne devrais pas être là, lance l'un.

Toi non plus, répond-il.

Ils sont condamnés, ils le savent. Ni l'un ni l'autre ne passera son chemin. Ils sont vis-à-vis de l'inévitable. Un mur infranchissable qui se dresse devant eux et qu'ils ne pourront traverser sans dommage collatéral. Mais ils restent là, figés au milieu de la noirceur, tels deux félins qui se lorgnent, les poils dressés, en se demandant lequel d'entre eux attaquera le premier. Ils se transpercent du regard et en l'espace d'une seconde, ils ont de nouveau treize ans. Ils sont laids. Hideux. C'est leur véritable nature qui réapparaît.

Il fait un pas en avant, pour voir. Juste pour tenter une approche. Évaluer son adversaire. Il le dévisage avec arrogance en le voyant reculer.

Qu'est-ce qu'il y a ? déclame-t-il. As-tu peur ? As-tu peur de moi ?

Prends pas tes désirs pour la réalité, rétorque-t-il à travers le rictus qui vient d'illuminer son visage.

Comment ose-t-il l'aborder ? Comment ose-t-il seulement respirer le même air que lui ? Autour d'eux, le vent se lève comme un mauvais présage. Il sent son cœur battre dans sa poitrine tandis que les échos lui ramènent des insultes lointaines. Des mots méprisants prononcés à l'aveugle qui lui reviennent par intermittences. *T'aimes ça, toi, manger des graines, hein ti-cul ? Me semblait aussi que t'avais l'air d'un fif. Osti d'tapette !* L'insolence de la jeunesse.

Il voudrait retrouver sa témérité. Foncer droit sur lui et l'abattre comme la foudre, pour le punir de tout ce qu'il lui a fait subir, qui se trouve toujours là, prisonnier de sa gorge. Ça va le suivre toute sa vie. Il a été arrogant et baveux. Il a ruiné ce qu'il lui restait d'innocence. Il veut qu'il souffre. Qu'il paie. Par pur égoïsme. Par pure vengeance.

Il en a soudainement besoin. Encore.

Il aurait dû se douter que ça finirait comme ça. Il a toujours envisagé qu'ils se retrouveraient, un jour, l'un en face de l'autre. Un cauchemar récurrent dont il ne connaissait pas la fin.

Ils gravitent autour d'un axe invisible en s'évaluant en parallèle. Leurs intentions se révèlent réciproques. Il ne peut que le constater. Cette réalité est terrible. Pendant qu'il guette son opposant, il réalise que peu importe ce qui est sur le point d'arriver, ce sera lui ou l'autre. Il n'y a pas d'autre issue possible. Dans un cas comme dans l'autre, il payera pour ce qu'il a fait.

Il charge lorsqu'il le voit foncer sur lui. Leurs corps se percutent brutalement. Il ne sait plus s'il frappe ou s'il est frappé. Il se laisse emporter par le chaos de l'affrontement. Il ferme les yeux pour mieux savourer le moment. Il connaît cette haine-là. Il la comprend. Il la partage. Il marche dans ses souliers, maintenant.

Ils fusionnent. À travers leur violence, ils ne font plus qu'un. Ils meurtrissent leur chair comme un serpent qui se dévorerait la queue. Ils ne savent même plus où l'un commence et où l'autre finit. Ils s'emportent simultanément dans un tourbillon, une danse infernale, qui les propulse par terre. Dans leur élan, ils se désorientent. Plus rien n'a de sens. Le haut et le bas se mêlent pour les confondre. Le monde est à l'envers comme s'ils avaient traversé le miroir. Leurs corps n'existent plus. Ni la douleur. Ni la joie. Il ne reste que les ténèbres auxquelles ils s'abandonnent.

Le goût du sang envahit sa bouche. Sa vue se brouille et il n'arrive plus à respirer. Il relâche son emprise en lui assénant furieusement un dernier coup qui les projette à l'écart. Il entend sa respiration haletante, presque inhumaine. Il est là, tout près, en train de le fusiller du regard. Leur trêve s'éternise. Ils n'avaient pas prévu qu'ils seraient de forces égales. S'ils continuent ainsi, ils vont se tuer mutuellement. Mais ils ne peuvent pas déclarer forfait. Il est temps de finir ce qu'ils ont commencé.

Un peu plus loin, le contenu du sac pulvérisé s'est répandu pêle-mêle sur la pelouse. Ils le remarquent au même moment, à quelques pas d'eux. Ils se scrutent rapidement pour calculer leur état respectif avant de bondir, chacun de leur côté, pour saisir l'arme qui repose sur l'herbe.

Il réussit à l'attraper à la volée, poussé par l'adrénaline et la fureur. L'espace d'un éclair, il se retrouve sur ses pieds. Il essaie de trouver son souffle en s'accrochant à son ventre qui le martyrise. Il le regarde en train d'essayer de se relever, désormais résorbé et impuissant.

Fais pas ça, le supplie-t-il.

Il serre le revolver dans sa main. Il est froid. Il enclenche le marteau en le tirant vers lui avec son pouce. Il tremble de tout son corps. Il pointe le pistolet droit sur son adversaire en essayant de maîtriser ses spasmes.

Il entend des sirènes au loin. Il regarde son émule se relever péniblement, les mains levées dans sa direction, le regard terrifié. Son visage est recouvert de sang. Il n'a même plus l'air d'être humain. Ça le fascine. Une seule pensée lui vient en tête.

Ça aurait pu être lui.

J'ai vu la peur dans ses yeux.
Ça m'a fait du bien.
Alors j'ai tiré.

REMERCIEMENTS

Un roman ne s'écrit jamais vraiment seul.

Je tiens tout d'abord à remercier Maxime Mongeon, qui a cru en mon triptyque depuis le début et qui m'a poussé à me surpasser roman après roman. Max, tu es un complice fabuleux et je te serai éternellement reconnaissant de ton soutien, de tes encouragements et de ton amitié.

Merci à Geneviève Bossé, Sophie Gagnon et Marie-Andrée Larivière, qui ont lu mon manuscrit avec soin et enthousiasme. Vos commentaires m'ont grandement aidé et ce roman ne serait pas le même sans vous.

Merci aussi à Catherine Chiasson d'exister. Tu me fais du bien.

Un merci particulier à mes lecteurs. Tous ceux et celles que j'ai rencontrés dans les salons, dans les écoles, dans les librairies… Vous qui avez dévoré *Eux* et *Nous*. Je sais que vous attendiez ce troisième volet avec impatience. J'espère qu'il est à la hauteur et que vous ne m'en voudrez pas trop.

Finalement, je remercie le Conseil des arts et des lettres du Québec pour son soutien financier.

CALQ — Conseil des arts et des lettres du Québec
Québec

DOMAINE JEUNESSE

Achevé d'imprimer en août 2017
sur les presses de
Marquis imprimeur

Éd. 01 / Imp. 01
Dépôt légal : août 2017